PETITES CONVERSATIONS

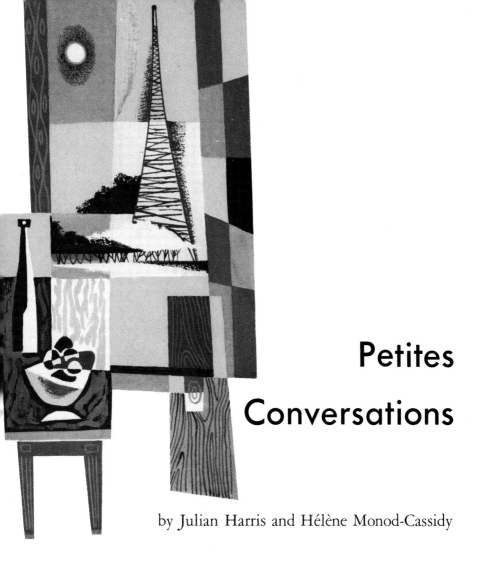

Petites

Conversations

by Julian Harris and Hélène Monod-Cassidy

Illustrated by Bill Armstrong

D. C. Heath and Company

Boston

Originally published by the University of Wisconsin Press.

In Canada, The Book Society of Canada Limited, Agincourt, Ontario

Printed in the United States of America
6E2

Children's Edition: pp. i-xii, 1-82, blue cover.

Teachers' Edition: pp. i-xii, 1-146, yellow cover.

 Foreword

Petites Conversations is a book for children ten to twelve years old. The sixty-four pages designated "Teachers' Guide" which are appended to the edition bound in yellow describe our method fully and provide a great variety of oral exercises, stories, games, drills, and complete translations of the dialogues and songs. Together these two editions form a closely integrated, two-year French course. Neither of them should be used without the other.

Introduction

This book is to help you learn to speak French. All languages are learned in the same way, and French is no harder to learn than English.

Of course you can't remember how you learned to speak English. But if you have a baby brother or sister you have noticed that at first he makes only funny nonsense sounds, then begins to say "Ma-ma" and "Pa-pa," and finally pronounces your name so you can recognize it. Pretty soon, the baby uses clumsy little sentences like "Look-a-dog!" or "Wan-au-ju" (I want some orange juice).

At first you will learn to talk in French a little bit as your baby brother learns to talk English: by hearing sounds and saying them, by listening to the music of a whole sentence and repeating it as well as you can. The mistakes you make do not really matter, for they are a part of learning to speak. The main thing is for you to listen, to understand, and to talk in French. We expect you to say "Look-a-dog" sometimes before you can say "Look at the dog."

Of course you will learn much faster than your baby brother. After all you have already learned one language, and besides, you are much older and you have been going to school for a long time. In a few days you will be able to say all sorts of things in French—and to say them perfectly.

You will find in your book a lot of songs, games, and stories. They were put there so that learning French will be more amusing. But do not try to read them before you are ready: first, you learn to listen; second you learn to talk; then, and only then, you begin to read.

Recording of
Petites Conversations

We have made a record for you of the lessons, songs, and stories. We hope you will enjoy hearing them spoken by French people. When you listen to the record, it is almost as if you were in a French school.

If, like Suzanne in Lesson 18, you must stay in bed and miss a French class, you can find on this 12–inch, 33–RPM record the lesson you have missed. Or if, like Michel in the story following Lesson 24, you find that you forget what you should remember, this record will help you.

Sold by D. C. Heath and Company.

Contents

Les Dialogues

1	Bonjour, mademoiselle	3
2	Où est Jacques?	4
3	Je m'appelle Suzanne	5
4	Montrez-moi un garçon	6
5	Une Jolie Carte postale	7
6	Je suis à l'école	8
7	Chez Mme Dupuis, la marchande de bonbons (1)	9
8	Chez Mme Dupuis, la marchande de bonbons (2)	10
9	Un, deux, trois, Nous irons au bois	11
10	Les Nombres	12
11	Je suis Américain	13
12	M. Rocher ne parle pas anglais	14
13	Une Plaisanterie	15
14	Je n'ai pas de moustache	17
15	Quelques couleurs	18
16	Une Collection de timbres (1)	19
17	Une Collection de timbres (2)	20
18	La Visite du docteur	21
19	Achetons des fruits	23

20 L'Heure   25

21 La Semaine de Jacques   26

22 Quelques animaux domestiques   27

23 Le Temps   28

24 Les Français aiment les sports   30

    Leçons de grammaire

1   Masculine and feminine nouns   31

2   Plural of nouns   32

3   Adjectives   33

4   A few regular verbs   34

5   I am—Je suis   34

6   I have—J'ai   35

    Exercices écrits   36

    Supplementary material   40

    Les saynètes

    Au clair de la lune   53

    Le Dîner de la famille Pinay   55

    La Belle au bois dormant   58

    Un Episode de la vie de Jeanne d'Arc   62

    Guillaume le Conquérant   65

    Remuons un peu   68

    Vocabulaire   69

    Index   81

Petites Conversations

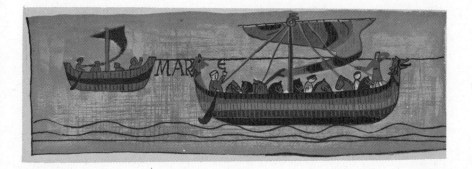

1 - Bonjour, mademoiselle

LA MAÎTRESSE: Bonjour, mes enfants.

LES ENFANTS: Bonjour, mademoiselle.

LA MAÎTRESSE: Comment allez-vous?

LES ENFANTS: Très bien, merci.
   Et vous, mademoiselle?

LA MAÎTRESSE: Bien, merci.

LA MAÎTRESSE (*avec geste*): Au revoir, mes enfants.

LES ENFANTS: Au revoir, mademoiselle.

Remuons un peu

Levez-vous. Allez à la porte. Ouvrez la porte. Sortez. Frappez. Entrez.
Fermez la porte. Allez à votre place. Asseyez-vous.

2 - Où est Jacques?

LA MAÎTRESSE: Où est Jacques?
LES ENFANTS: Jacques est ici.
  Jacques est présent.
LA MAÎTRESSE: Où est Suzanne?
LES ENFANTS: Voilà Suzanne.
  Suzanne est présente.
LA MAÎTRESSE: Où est Paul?
LES ENFANTS: Paul est absent.
  Paul est malade.

Remuons un peu

Levez-vous, mes enfants. Asseyez-vous. Levez les mains. Baissez les mains. Levez la main droite. Levez la main gauche. Repos.

Frère Jacques

Bien rhythmé

Frè-re Ja-cques, Frè-re Ja-cques, Dor-mez vous? Dor-mez vous?

So-nnez les ma-ti-nes, So-nnez les ma-ti-nes, Din, din, don; din, din, don.

3 - Je m'appelle Suzanne

LA MAÎTRESSE (*à un garçon*): Bonjour, monsieur.
  Comment vous appelez-vous?
UN GARÇON: Je m'appelle Jacques.
LA MAÎTRESSE (*à une fille*): Bonjour, mademoiselle.
  Comment vous appelez-vous?
UNE FILLE: Je m'appelle Suzanne.

Remuons un peu

Mes enfants, levez-vous. Venez ici. Formez un cercle. Regardez: voilà
mon bras. Levez le bras. Baissez le bras. Voilà ma tête. Tournez la tête.
Levez le bras. Tournez le bras. Repos.

Les Petites Marionnettes

Ain-si font, font, font Les pe-ti-tes ma-rio-nne-ttes,

Ain-si font, font, font Trois p'tits tours et puis s'en vont.

2 Les poings au cô-té,
   Ma-rio-nne-ttes, ma-rio-nne-ttes,
   Les poings au cô-té,
   Sau-tez, ma-rio-nne-ttes, sau-tez.

5

4 - Montrez-moi un garçon

LA MAÎTRESSE (*avec geste*): Voilà une fille.
   Montrez-moi une fille.
LES ENFANTS: Voilà une fille.
LA MAÎTRESSE: Comment s'appelle cette fille?
LES ENFANTS: Cette fille s'appelle Suzanne.
LA MAÎTRESSE: Montrez-moi un garçon, s'il vous plaît.
LES ENFANTS: Voilà un garçon.
LA MAÎTRESSE: Comment s'appelle ce garçon?
LES ENFANTS: Ce garçon s'appelle Jacques.

Remuons un peu

Voilà ma bouche. Montrez-moi votre bouche. Ouvrez la bouche. Fermez la bouche.

   Voilà mes yeux. Montrez-moi vos yeux. Ouvrez les yeux. Fermez les yeux.

   Voilà la fenêtre. Montrez-moi la porte. Montrez-moi la fenêtre.

5 - Une Jolie Carte postale

JACQUES: Voilà une carte postale pour vous.
SUZANNE: Merci beaucoup, Jacques.
JACQUES: C'est une jolie carte, n'est-ce pas?
SUZANNE: Oui, c'est une jolie carte.

Remuons un peu

Levez-vous, mes enfants. Venez ici. Formez un cercle. Voilà mon épaule.
Mettez votre main sur l'épaule de votre voisin. Mettez une main sur
l'autre. Mettez les mains au côté.

Sur le pont d'Avignon

2 Les belles dames font comme ça, (*low bow, with hands on skirts*)
   Et puis en-core comme ça.
3 Les beaux garçons font comme ça, (*bow with right hand on chest*)
   Et puis en-core comme ça.
4 Les p'tites filles font comme ça, (*make a curtsey*)
   Et puis en-core comme ça.

6 - Je suis à l'école

LA MAÎTRESSE: Etes-vous à la maison?

JACQUES: Non, mademoiselle. Je suis à l'école.

LA MAÎTRESSE: Où est votre mère?

JACQUES: Ma mère est à la maison.

LA MAÎTRESSE: Où est votre père?

JACQUES: Mon père est en ville.

Remuons un peu

Voilà un crayon. Voilà un morceau de craie, un livre, une table, une chaise. Mettez le crayon sur le livre. Mettez le livre sous la table. Mettez le morceau de craie sur la chaise.

Les Petits Soldats

Nous sommes de petits soldats,
Nous marchons la tête haute.
Marquons, sans faire de faute,
Une, deux, marquons le pas!

7 - Chez Mme Dupuis, la marchande de bonbons (première partie)

JACQUES: Bonjour, madame.

LA MARCHANDE: Bonjour, monsieur.

JACQUES: Avez-vous des bonbons au chocolat?

LA MARCHANDE: Bien sûr, monsieur.

JACQUES: Combien coûtent ces bonbons?

LA MARCHANDE: Six pour dix francs.

JACQUES: Bon.

Remuons un peu

Voilà six bonbons. Prenez un bonbon. Donnez cinq bonbons à Marie. Mangez votre chocolat. C'est bon, n'est-ce pas?

8 - Chez Mme Dupuis, la marchande de bonbons (deuxième partie)

LA MARCHANDE: Avez-vous dix francs?
JACQUES: Oui, j'ai dix francs.
    Voilà madame.
LA MARCHANDE: Voilà six bonbons.
JACQUES (*mange un bonbon*): Merci, madame.
    C'est très bon.
LA MARCHANDE: Au revoir, monsieur.
JACQUES: Au revoir, madame.

Remuons un peu

Levez-vous, mes enfants. Allez au tableau noir. Prenez un morceau de craie. Ecrivez: 1, 3, 4, 6, 2, 5. Effacez le tableau, s'il vous plaît. Asseyez-vous.

Un Kilomètre à pied

Un ki-lo-mè-tre à pied, ça u-se ça u-se

Un ki-lo-mè-tre à pied, ça u-se les sou-liers.

2 Deux ki-lo-mè-tres à pied, etc. (*marching briskly and swinging hands*)
3 Trois ki-lo-mè-tres à pied, etc. (*marching but not swinging arms*)
4 Quatre ki-lo-mè-tres à pied, etc. (*dragging feet*)
5 Cinq ki-lo-mè-tres à pied, etc. (*dragging feet, knees bent, one hand on back*)

9 - Un, deux, trois
Nous irons au bois

Un, deux, trois,
Nous irons au bois;
Quatre, cinq, six,
Cueillir des cerises;
Sept, huit, neuf,
Dans mon panier neuf.
Dix, onze, douze,
Elles seront toutes rouges.

Quelle est la date aujourd'hui?
C'est aujourd'hui le 10 novembre.

Remuons un peu

Nous sommes de petits soldats. Nous marchons la tête haute. Nous avons
un fusil. Le général passe la revue. Nous saluons.

10 - Les Nombres

LA MAÎTRESSE: Comptez les garçons, s'il vous plaît.

LES ENFANTS: 1, 2, 3, . . . 9. Il y a neuf garçons.

LA MAÎTRESSE: Comptez les filles, maintenant.

LES ENFANTS: 1, 2, 3, . . . 13. Il y a treize filles.

LA MAÎTRESSE: Combien font 9 et 13?

LES ENFANTS: 9 et 13 font 22.

LA MAÎTRESSE: Il y a 22 enfants dans la classe, n'est-ce pas?

Treize (13), quatorze (14), quinze (15);
Seize (16), dix-sept (17), dix-huit (18);
Dix-neuf (19), vingt (20), vingt et un (21);
Vingt-deux (22), vingt-trois (23), vingt-quatre (24);
Vingt-cinq (25), vingt-six (26), vingt-sept (27);
Vingt-huit (28), vingt-neuf (29), trente (30).

Calculons un peu

Pierre a cinq francs et Jacques a dix francs. Combien de francs ont Pierre et Jacques?

Suzanne a cinq bonbons. Elle mange deux bonbons. Combien de bonbons a Suzanne maintenant?

Voilà trois livres sur la table. Je prends un livre. Combien y a-t-il de livres sur la table maintenant?

11 - Je suis Américain

LA MAÎTRESSE: Bonjour, Jacques. Etes-vous Français?

JACQUES: Mais non, mademoiselle. Je ne suis pas Français.

LA MAÎTRESSE: Etes-vous Américain?

JACQUES: Certainement, mademoiselle. Je suis Américain.

LA MAÎTRESSE: Est-ce que Mme Dupuis est Américaine?

JACQUES: Non. Mme Dupuis n'est pas Américaine.
Elle est Française.

Calculons un peu

Ecrivez six. Ecrivez huit. Combien font six et huit?

Ecrivez treize. Ecrivez trois. Combien font treize et trois?

Ecrivez sept, cinq, et trois. Combien font sept, cinq, et trois?

Ecrivez neuf et huit. Combien font neuf et huit?

12 - M. Rocher ne parle pas anglais

M. ROCHER: Pardon, mademoiselle. Je suis étranger. Parlez-vous français?

SUZANNE: Oui, monsieur. Je parle un peu français.

M. ROCHER: Où est l'école Franklin, s'il vous plaît?

SUZANNE: Par ici, monsieur. Venez avec moi.

M. ROCHER: Merci, mademoiselle. Vous parlez très bien. Quel âge avez-vous?

SUZANNE: J'ai onze ans, monsieur.

M. ROCHER: Aimez-vous le français?

SUZANNE: Oh! oui, monsieur. J'aime beaucoup le français.

Lecture

Voilà Paul. Il a douze ans. C'est un grand garçon. Il est Américain. Il parle un peu français. Parle-t-il grec? Non, Paul ne parle pas grec.

M. Rocher est Français. Il visite les écoles américaines. Il aime beaucoup l'Amérique. Il aime aussi la France.

13 - Une Plaisanterie

JACQUES: Bonjour, madame. Avez-vous des boules de gomme?

LA MARCHANDE: Non, monsieur. Je n'ai pas de boules de gomme.

JACQUES: Avez-vous des sucettes?

LA MARCHANDE: Non, monsieur. Je n'ai pas de sucettes.

JACQUES: Avez-vous des bonbons au chocolat?

LA MARCHANDE: Mais oui, monsieur. J'ai des bonbons au chocolat. Avez-vous dix francs?

JACQUES: Mais non, madame. Je n'ai pas dix francs.

LA MARCHANDE: Monsieur! Je n'aime pas les plaisanteries.

Au clair de la lune

Au clair de la lu- ne Mon a- mi Pie- rrot,

Prê- te moi ta plu- me Pour é- crire un mot.

Ma chan- delle est mor- te, Je n'ai plus de feu;

Ou- vre- moi ta por- te Pour l'a- mour de Dieu.

Michel parle français

J'ai un petit ami. Il s'appelle Michel. Michel a dix ans. Il a un gros chien (dog). Michel et son chien aiment beaucoup les bonbons.

Michel parle un peu français et il aime les plaisanteries.

Un jour (one day) Michel va (goes) avec son chien chez la marchande de bonbons. Il dit très poliment: "Bonjour, madame. Avez-vous des sucettes?"

La marchande est Américaine. Elle s'appelle Mrs. Smith. Elle regarde Michel et dit: "What did you say?"

Michel répète très poliment: "Bonjour, madame. Avez-vous des sucettes?"

La marchande dit: "Can't you speak English?"

Michel dit: "Je parle un peu anglais. Pauvre Mrs. Smith. Elle ne parle pas français. Aw! Gimme a sucker!"

C'est une bonne plaisanterie, n'est-ce pas?

14 - Je n'ai pas de moustache

LA MAÎTRESSE (*avec geste*): Voilà mon doigt. Combien de doigts avez-vous?

JACQUES: J'ai dix doigts.

LA MAÎTRESSE: Combien de mains avez-vous?

JACQUES: J'ai deux mains.

LA MAÎTRESSE (*avec geste*): Avez-vous un nez?

JACQUES: Oui, mademoiselle. Voilà mon nez.

LA MAÎTRESSE (*sans geste!*): Avez-vous une moustache?

JACQUES: Non, mademoiselle. Je n'ai pas de moustache!

Lecture

Voilà une jolie fille. Elle est à l'école. Elle s'appelle Suzanne. Elle est Américaine. Elle parle un peu français. Elle a onze ans. Elle a un père et une mère. Elle a aussi un petit chien qui s'appelle Toto.

Savez-vous planter les choux?

Sa- vez- vous plan-ter les choux, A la mo- de, à la
mo- de, Sa- vez- vous plan-ter les choux A la mo- de de chez nous.

2   On les plante a-vec le doigt, A la mo-de, etc (*hold up a finger*)
3   On les plante a-vec la main, etc. (*hold up a hand*)
4   On les plante a-vec le bras, etc. (*point to arm*)
5   On les plante a-vec le nez, etc. (*point to nose*)

15 - Quelques couleurs

Le père de Jacques a une auto jaune et bleue. C'est une belle auto.

Le père de Suzanne a une auto rouge. C'est une petite auto anglaise.

Le père de Paul a deux autos: une grosse auto noire, et une petite auto rose.

Le père de Marie a un avion blanc et vert. Il est millionnaire!

Le Frère de Suzanne est à Paris

Le frère de Suzanne est à Paris. Il s'appelle Pierre. C'est un beau garçon de vingt ans. Il porte une jolie moustache noire.

Pierre a une petite auto rouge. C'est une deux chevaux Citroën (about 10 H.P.). Il aime beaucoup son auto.

L'auto s'appelle Suzy. Avec Suzy, Pierre visite la campagne (country side). Il regarde les châteaux et les petits villages.

Il parle français avec les marchands. Il aime aussi parler avec les enfants.

16 - Une Collection de timbres
(première partie)

SUZANNE: Avez-vous une collection de timbres?

JACQUES: Oh! oui, Suzanne. J'ai beaucoup de timbres américains.

SUZANNE: Voulez-vous des timbres français?

JACQUES: Bien sûr!

Lecture

Jean est blond; il a les yeux bleus. Marie est blonde; elle a les yeux bleus.

Charles est brun; il a les yeux bruns. Suzanne est brune; elle a les yeux bruns.

17 - Une Collection de timbres
(deuxième partie)

JACQUES: Je n'ai pas de timbres français.
SUZANNE: Voilà un timbre de trente francs.
JACQUES: Merci beaucoup.
SUZANNE: Voulez-vous aussi un timbre de cent francs?
JACQUES: Avec plaisir. (*Il les regarde.*) Ils sont très jolis.

Lettre de Pierre

Ce matin, Suzanne trouve (finds) sur sa table une lettre de Paris! C'est une lettre de Pierre. Pierre écrit:

CHÈRE SUZY,

Voilà des timbres pour ta collection. Il y a des timbres français, anglais, italiens, et grecs.

Voilà aussi une photo de Suzy—ma petite Citroën. Elle va très bien et moi aussi.

Le quinze avril je vais aller (I am going to go) à Versailles voir ton ami M. Rocher.

Je t'embrasse
PIERRE

18 - La Visite du docteur

LE DOCTEUR: Bonjour, Suzanne. Qu'est-ce qu'il y a?

SUZANNE: Oh! docteur, j'ai mal à la tête et mal à la gorge.

LE DOCTEUR: Ouvrez la bouche, s'il vous plaît. Dites "ah-ah."

SUZANNE: "Ah-ah!"

LE DOCTEUR: Tirez la langue.

SUZANNE: Je suis toute rouge aussi.

LE DOCTEUR: Ah! C'est la rougeole. Restez au lit.

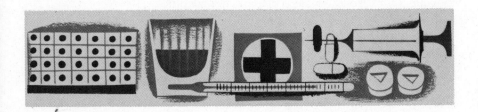

Belle Rosine

Modéré

Bon- jour, be-lle Ro-si-ne Co-mment_a- llez-vous?

Vous me fai-tes la mi-ne, Di-tes moi, qu'a-vez-vous?

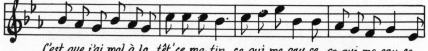

C'est que j'ai mal à la têt'ce ma-tin, ce qui me cau-se, ce qui me cau-se,

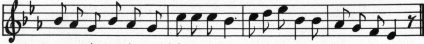

C'est que j'ai mal à la têt' ce ma-tin Ce qui me cau-se bien du cha-grin.

Michel n'est pas malade

Aujourd'hui papa est malade, maman est malade, mon frère Charles est malade, ma petite sœur Catherine est malade. Naturellement, je suis malade aussi.

Ce matin, ma mère téléphone au docteur: "Allô, allô. M. le docteur, toute la famille est malade. Venez vite s'il vous plaît."

Le docteur arrive. Il sonne à la porte. Ding-ding. Mon père ne répond pas. Ma mère ne répond pas. Mon frère ne répond pas. Ma petite sœur ne répond pas. Enfin, je réponds.

J'ouvre la porte et je crie: "Voilà le docteur!" Je dis au docteur: "Bonjour, M. le docteur. Je suis très malade."

Le docteur me regarde et dit: "Tirez la langue, Michel. Ouvrez la bouche. Dites Ah-ah! Vous n'êtes pas malade, mon garçon."

Il regarde ma sœur Catherine. Il dit: "Tirez la langue. Ouvrez bien la bouche. Catherine, vous êtes un peu malade. Restez à la maison."

Puis il regarde mon frère Charles. "Tirez la langue. Ouvrez bien la bouche. Votre gorge est bien rouge. Couchez-vous, Charles. Couchez-vous."

Puis il regarde ma mère. "Ma pauvre Mme Moderne, vous êtes vraiment malade. Prenez vite ce médicament. Restez au lit."

Alors il regarde mon père. "Oh! la la! M. Moderne, vous êtes très malade. Venez à l'hôpital."

Maintenant papa est à l'hôpital. Maman est au lit. Mon frère est couché. Ma petite sœur est à la maison. Et, hélas, je suis à l'école. Je ne suis pas malade.

19 - Achetons des fruits

LA MARCHANDE: Que voulez-vous, mes enfants?

SUZANNE: Nous voulons des fruits, s'il vous plaît.

LA MARCHANDE: Nous avons des oranges, des bananes, et des
pommes.

SUZANNE: Donnez-moi une orange et une banane.

LA MARCHANDE: Voilà, mademoiselle. Et monsieur?

JACQUES: Je déteste les bananes. Donnez-moi deux pommes
rouges.

LA MARCHANDE: Voilà, monsieur. Les pommes coûtent huit
francs pièce.

L'Après-midi de Michel

Un jour Michel et son chien vont se promener (go for a walk). Michel trouve un dollar dans la rue (on the street). Quelle chance (What luck)! Il va vite acheter deux glaces: une glace au chocolat pour Michel et une glace à la vanille pour le chien. Le chien n'aime pas la glace, et Michel mange les deux glaces. Il achète aussi des boules de gomme roses, jaunes, et vertes, un petit pistolet de plastique, et deux grosses bananes. Le chien mange des boules de gomme, mais il déteste les bananes. Michel mange aussi des boules de gomme, et il mange les deux bananes. Ensuite il achète une belle tranche (a fine slice) de melon rouge. C'est très bon!

Maintenant Michel retourne à la maison. C'est l'heure du dîner (dinner time) et sa mère dit: "Vite, Michel, à table. Nous avons un très bon dîner: du rosbif, des pommes de terre frites (French fried potatoes), de la salade, et un gâteau (cake) au chocolat."

Michel répond: "C'est drôle (funny), Maman. Mais je n'ai pas faim (I'm not hungry). Donne-moi un peu de lait (milk). C'est tout."

Pauvre Michel!

20 - L'Heure

LA MAÎTRESSE: Quelle heure est-il?

JACQUES: Il est une heure.

LA MAÎTRESSE: A quelle heure vous levez-vous le matin?

JACQUES: Je me lève à sept heures.

LA MAÎTRESSE: A quelle heure déjeunez-vous?

JACQUES: Je déjeune à sept heures et demie.

LA MAÎTRESSE: A quelle heure allez-vous à l'école?

JACQUES: Je vais à l'école à huit heures et quart.

Remuons un peu

Maintenant, mes enfants, il est sept heures moins le quart. Vous êtes au lit. Dormez.

Ding-ding-ding. Il est sept heures. Levez-vous.

Allez à la salle de bain. Lavez-vous les mains. Lavez-vous la figure. Lavez-vous *bien* la figure: les oreilles, le cou, les yeux.

Brossez-vous les dents. Est-ce que vos dents sont propres?

Brossez-vous les cheveux. Habillez-vous.

Maintenant, allons déjeuner.

Vive l'eau

Vi- ve l'eau, vi- ve l'eau Qui nous lave et nous rend pro-pres.

Vi- ve l'eau, vi- ve l'eau Qui nous lave et nous rend beaux.

21 - La Semaine de Jacques

Que faites-vous le lundi?
Le lundi, je vais à l'école.

Que faites-vous le mardi?
Le mardi, j'ai une leçon de musique.

Que faites-vous le mercredi?
Le mercredi, je parle français.

Que faites-vous le jeudi?
Le jeudi, je joue avec mon chien.

Que faites-vous le vendredi?
Le vendredi, je déjeune chez Pierre.

Quand allez-vous au cinéma?
Je vais au cinéma le samedi.

Quand allez-vous à l'église?
Je vais à l'église le dimanche.

Quel jour est-ce aujourd'hui?
C'est aujourd'hui mardi.

Elizabeth est très musicienne

Elizabeth est très musicienne (talented in music). Le lundi, elle joue du piano. Le mardi, elle joue du violon. Le mercredi, elle danse. Le jeudi, elle chante. Le vendredi, elle joue de la clarinette avec son frère. Le samedi, elle écoute l'opéra à la radio. Le dimanche, elle chante à l'église.

Elle *adore* la musique!

22 - Quelques animaux domestiques

SUZANNE: Aimez-vous mieux les chiens ou les chats?

JACQUES: J'aime mieux les chiens.

SUZANNE: Moi, j'aime beaucoup mieux les chats.

JACQUES: Oh! Pourquoi?

SUZANNE: Parce que les chiens courent après les lapins.

JACQUES: Mais les chats attrapent les oiseaux.

SUZANNE: *Mon* chat n'attrape pas les oiseaux!

JACQUES: *Mon* chien ne court pas après les lapins.

Malbrough s'en va-t-en guerre

2. Ma-dame à sa tour mon-te,
Mi-ron-ton, (etc.)
Ma-dame à sa tour mon-te
Si haut qu'elle peut mon-ter.
Si haut qu'elle peut mon-ter,
Si haut qu'elle peut mon-ter.
3. Elle a-per-çoit son pa-ge
Tout de noir ha-bi-llé.

4. Mon page, ah mon beau pa-ge,
Quelles nou-velles a-ppor-tez?
5. Aux nou-velles que j'a-ppor-te
Vos beaux yeux vont pleu-rer.
6. Mon-sieur d'Mal-brough est mort,
Est mort et en-te-rré.

23 - Le Temps

LA MAÎTRESSE: Quel temps fait-il aujourd'hui?
JACQUES: Il fait beau. Il ne pleut pas.
LA MAÎTRESSE: Est-ce qu'il fait froid?
JACQUES: Non, il fait chaud.
LA MAÎTRESSE: Quel temps fait-il en hiver?
JACQUES: En hiver, il fait froid et il neige.

La Fête de Michel

Michel est né (was born) le 16 avril. C'est aujourd'hui sa fête et il a onze ans. Son père et sa mère disent: "Bonjour, Michel. Bonne fête! Voilà quelque chose (something) pour toi." Michel ouvre le paquet; c'est une jolie chemise bleue. "Regarde, regarde bien," dit sa mère. Michel regarde dans la poche; il trouve un billet de cinq dollars. Michel est très content. Il dit: "Merci de la chemise, Maman; et merci beaucoup des cinq dollars."

L'après-midi les amis de Michel arrivent. Ils ont tous un petit cadeau (present).

Voilà Pierre. Il sonne à la porte. "Bonjour, Michel. Bonne fête! Voilà quelque chose pour toi." Michel ouvre vite le paquet; c'est une petite auto rouge. Michel a beaucoup d'autos rouges, mais il dit très poliment: "Merci beaucoup, Pierre."

Voilà Paul et Jean: "Bonjour, Michel. Bonne fête! Voilà un cadeau pour toi." Dans le paquet de Jean il y a une balle de baseball. "Merci beaucoup, Jean." Dans le paquet de Paul, Michel trouve un beau couteau (pocketknife). Il dit: "Oh, merci, Paul."

Philippe et Jacques arrivent. Philippe donne à Michel un petit modèle d'avion et Jacques a des crayons de couleur.

"Jouons au baseball," dit Philippe. Les enfants commencent à jouer. Malheureusement (unfortunately) Philippe envoie (bats [*literally:* sends]) la balle neuve (new) dans la fenêtre. Naturellement le carreau (window-pane) est cassé (broken) et la mère de Michel n'est pas contente.

"Jouons avec les crayons de couleur," dit Jacques.

"Oh, le crayon bleu est cassé," dit Pierre.

"Le rouge est cassé aussi," dit Paul.

Jean ouvre et ferme le couteau. "Donne-moi mon couteau," dit Michel; mais Jean ferme le couteau sur son doigt! Le doigt saigne (bleeds) un peu sur la chemise neuve de ce pauvre Michel!

Enfin (finally) c'est l'heure du goûter (refreshments). Les enfants mangent de la glace et un gros gâteau décoré de onze bougies (candles). Ils disent: "Au revoir, Michel; merci du goûter. Bonne fête!"

Michel dit: "Quelle belle fête. Je suis bien content d'avoir onze ans."

24 - Les Français aiment les sports

SUZANNE: Dites-moi, Colette: Est-ce que les Français aiment les sports?

COLETTE: Oh! énormément.

SUZANNE: Qu'est-ce que vous faites en hiver?

COLETTE: A Noël je vais faire du ski. J'adore patiner.

SUZANNE: Moi aussi. Que faites-vous en été?

COLETTE: Je vais à bicyclette. En août, je vais camper.

SUZANNE: Savez-vous nager?

COLETTE: Oui, je sais nager; mais je ne sais pas bien plonger.

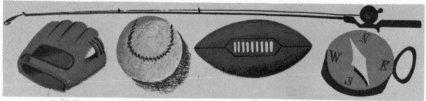

Michel va camper

C'est le 10 juin. L'école est enfin finie. Michel part (is leaving) en camp de vacances (for summer camp). Il prépare vite ses bagages: une canne à pêche (fishing rod), sa bicyclette anglaise, de gros souliers de sport, un ballon (a football), une batte et une balle de baseball, un maillot de bain (swimming trunks), deux chemises de sport (sport shirts). Il prend aussi sa brosse à dents (toothbrush). Il crie:

"Maman, j'ai fini. Je n'ai pas oublié (didn't forget) ma brosse à dents."

Sa mère regarde dans la valise, et dit:

"Et les pyjamas?"

"Ah! J'ai oublié les pyjamas."

"Et les pantalons (pants)?"

"Ah! J'ai oublié les pantalons."

"Et du papier à lettres (writing paper)?"

"Ah! J'ai oublié le papier à lettres. Voilà aussi mon couteau (knife) neuf et ma boussole (compass)."

Enfin la valise est finie. Michel est bien content. Il dit au revoir à son père et à sa mère, et monte dans (gets in) l'autobus du camp.

Au revoir Michel! Bonnes vacances!

Leçons de grammaire

1 - Masculine and feminine nouns

You have learned to say un livre (a book) but une table (a table). In French, nouns fall into two classes: those with which you say "un" are called *masculine nouns* (un livre, un chien, un garçon); those with which you say "une" are called *feminine nouns* (une table, une tête, une fille).

It seems funny to us that the French say "*un* livre" but "*une* table," because we just say "a" with both (a boy, a girl, a book, a table, etc.). But all languages, including English, have their peculiarities: foreigners think it very strange that we say *mouse-mice* instead of *mouse-mouses,* or *child-children* instead of *child-childs.*

Just as the word "a" means either *un* or *une,* the word "the" means *le* or *la.* You say *le* with masculine nouns (le livre, le chien, le garçon), but you say *la* with feminine nouns (la table, la tête, la fille). When a noun begins with a vowel, you say *l'* instead of *le* or *la:* l'enfant and l'Américain are masculine nouns; l'école, l'auto, and l'Américaine are feminine.

Here are some examples of masculine and feminine nouns used with *un, une,* and with *le, la,* and *l':*

Masculine nouns

Voilà un livre.	Voilà le livre.
Voilà un garçon.	Voilà le garçon.
Voilà un bonbon.	Voilà le bonbon.
Voilà un pied.	Voilà le pied.
Voilà un nez.	Voilà le nez.
Voilà un Français.	Voilà le Français.

Feminine nouns

Voilà une table.	Voilà la table.
Voilà une fille.	Voilà la fille.
Voilà une boule de gomme.	Voilà la boule de gomme.
Voilà une main.	Voilà la main.
Voilà une tête.	Voilà la tête.
Voilà une Française.	Voilà la Française.

Nouns beginning with a vowel

Voilà un enfant.   Voilà l'enfant.
Voilà un Américain.   Voilà l'Américain.
Voilà un oiseau.   Voilà l'oiseau.

Voilà une école.   Voilà l'école.
Voilà une Américaine.   Voilà l'Américaine.
Voilà une auto.   Voilà l'auto.

2 - Plural of nouns

When you speak of more than one book in English, you say *the books.* In French you say *les livres.* Although you have three forms of "the" in the singular (*le, la, l'*), you have only form in the plural: *les.* Here are the singular and plural of a few words:

le livre   les livres
le garçon   les garçons
le bonbon   les bonbons
la fille   les filles
la table   les tables
l'enfant   les enfants
l'Américain   les Américains
l'oiseau   les oiseaux

Be sure to say *le* and *les* very clearly, because *garçon* and *garçons* are pronounced just alike. You don't pronounce the "s" or "x." Note carefully the difference between le garçon and les garçons. But note that you say *les enfants,* etc., because *enfant* begins with a vowel.

The plural of *un* or *une* is *des:* un livre (a book), des livres (books, or some books). Here are a few examples:

un livre   des livres
un garçon   des garçons
un bonbon   des bonbons
une fille   des filles
une table   des tables
un enfant   des enfants
un Américain   des Américains
un oiseau   des oiseaux

3 - Adjectives (descriptive words)

You have learned to say: Jacques est prés*ent*; Marie est prés*ente*. Présent is a masculine form; présente is a feminine form.

1. If you say "a little cat" (un petit chat), you have to use the masculine form *petit* because the word *un chat* is masculine:

> un chat, un petit chat
> un livre, un petit livre.

If you say "a little car" (une petite auto), you have to use the feminine form *petite* because the word *une auto* is feminine:

> une auto, une petite auto
> une table, une petite table.

Here are a few examples :

> Voilà un petit chat.   Voilà une petite fille.
> Voilà un gros chien.   Voilà une grosse auto.
> Voilà un beau livre.   Voilà une belle pomme.
> Voilà un bon garçon.   Voilà une bonne école.
> Voilà un joli chat.   Voilà une jolie robe.
> Voilà un grand garçon (tall).   Voilà une grande maison.

2. In English you always say: a little cat, a red book, a blue dress, with the descriptive word (little, red, blue) coming first.

In French you say: un *petit* chat, but un livre *rouge*. There are only a few descriptive words that come before the noun in French and you already know most of them (petit, gros, joli, etc.). All the others follow the noun (bleu, rouge, français, intelligent, malade, etc.): un livre, un livre rouge; un timbre, un timbre français; les yeux, les yeux bleus; une pomme, une pomme rouge; une fille, une fille intelligente; une auto, une auto américaine.

Notice the following combinations:

> un gros chien noir
> une petite auto anglaise
> une jolie petite fille
> un chat jaune et blanc

4 - A few regular verbs; negatives and imperatives

1. I speak   Je parle [parl]
   You speak (*singular*)   Tu parles* [parl]
   He speaks   Il parle [parl]
   She speaks   Elle parle [parl]
   We speak   Nous parlons
   You speak (*plural*)   Vous parlez
   They speak   Ils parlent [parl]
                             Elles parlent [parl]

Note that in English you use the same form (speak) all the way through except that you say *he* or *she speaks.* In French although the forms are not spelled alike, you say [parl] all the way through except with *nous* and *vous:* nous parlons, vous parlez. With *nous* you always have the ending *-ons:* nous parlons, nous chantons, nous jouons, nous dansons, nous regardons, nous aimons, etc.

With *vous* you always have the ending *-ez:* vous parlez, vous chantez, vous jouez, vous dansez, vous regardez, vous aimez, etc.

2. You have learned to say: Je ne parle pas chinois (I don't speak Chinese). You use the same words ne . . . pas to change any statement to the negative:

Je regarde le chien. Je ne regarde pas le chien.
Il aime les pommes. Il n'aime pas les bananes.
Nous chantons. Nous ne chantons pas.
Vous dansez. Vous ne dansez pas.

3. When you give a command (Open the door), you just say: Ouvrez la porte! without using *vous.* Likewise you say: Chantons (let's sing) without using *nous.*

5 - I am—Je suis

1. I am   Je suis
   You are   Tu es
   He is   Il est
   She is   Elle est

* Use only with small children and intimate friends.

We are	Nous sommes
You are	Vous êtes
They are	Ils sont
	Elles sont

2. You have often used these forms:

Je suis à l'école.

Ma mère est à la maison.

Nous sommes de petits soldats.

Vous êtes Américains.

Les timbres sont jolis.

3. Here are some examples of the negative:

Je ne suis pas Français.

Jacques n'est pas ici.

Vous n'êtes pas malade.

6 - I have—J'ai

1. I have	J'ai
You have	Tu as
He has	Il a
She has	Elle a
We have	Nous avons
You have	Vous avez
They have	Ils ont
	Elles ont

2. You have often used these forms:

J'ai dix francs.

Pierre a la rougeole.

Nous avons une bonne école.

Vous avez deux mains.

Ils ont des timbres.

3. Here are some examples of the negative:

Je n'ai pas de sucettes.

Mon père n'a pas d'avion.

Nous n'avons pas de timbres chinois.

Exercices écrits

Premier exercice

Mettez l'article qui convient:

1. (a) _____ garçon   (the) _____ garçon
   (a) _____ livre   (the) _____ livre
   (a) _____ bonbon   (the) _____ bonbon
   (a) _____ marchand   (the) _____ marchand
   (a) _____ timbre   (the) _____ timbre
   (a) _____ enfant   (the) _____ enfant
   (an) _____ Américain   (the) _____ Américain
   (a) _____ oiseau   (the) _____ oiseau
2. (a) _____ fille   (the) _____ fille
   (a) _____ table   (the) _____ table
   (a) _____ carte postale   (the) _____ carte postale
   (a) _____ marchande   (the) _____ marchande
   (a) _____ maison   (the) _____ maison
   (a) _____ porte   (the) _____ porte
   (an) _____ Américaine   (the) _____ Américaine
   (a) _____ école   (the) _____ école

3. Ecrivez en français:

a boy _____   the boy _____
a book _____   the book _____
a table _____   the table _____
a house _____   the house _____
a piece of candy _____   the piece of candy _____
a door _____   the door _____
a bird _____   the bird _____
a school _____   the school _____

Deuxième exercice

1. Ecrivez au pluriel:

un garçon _____   le garçon _____
un pied _____   le pied _____
une fille _____   la fille _____
une maison _____   la maison _____

une école _____   l'école _____
un oiseau _____   l'oiseau _____

2. Ecrivez au singulier:

des pommes _____   les pommes _____
des bonbons _____   les bonbons _____
des enfants _____   les enfants _____
des Américains _____   les Américains _____
des livres _____   les livres _____
des tables _____   les tables _____

Troisième exercice

1. Mettez l'adjectif qui convient:

Voilà un _____ chat. (small, little)
Voilà un _____chien. (large, big)
Voilà une _____ fille. (little)
Voilà une _____ auto. (big)
Voilà un _____ livre. (pretty)
Voilà une _____ carte. (pretty)
Voilà un timbre _____. (blue)
Voilà une pomme _____. (red)
Voilà une _____ auto _____. (beautiful, pink)
Voilà une _____ fille _____. (small, blond)

2. Mettez l'adjectif qui convient:

J'ai un _____ chien. (little)
Mon _____chien est _____.
et _____. (little, brown, white)
Il a une _____ tête. (beautiful)
C'est un chien _____. (English or French)

Quatrième exercice

1. Répondez en français:

Parlez-vous français? _____
Est-ce que votre mère parle grec? _____
Aimez-vous les chiens? _____
Est-ce que nous regardons les timbres? _____

2. Mettez le verbe qui convient:

Vous _____ français. (speak)

Nous _____ anglais. (speak)

Ils _____ anglais. (don't speak)

J' _____ les pommes. (like)

Elle _____ les bonbons. (doesn't like)

Il _____ les filles. (hates)

3. Ecrivez en français:

Show me the window. _____

Give me some candy. _____

Let's count the girls. _____

Look at the dog. _____

Close the door. _____

Cinquième exercice

1. Mettez le verbe qui convient:

Je _____ un garçon (une fille). (am)

Il _____ Américain. (is)

Elle _____ Française. (is)

Nous _____ à l'école. (are)

Vous _____ en ville. (are)

Ils _____ Américains. (are)

Elles _____ Françaises. (are)

2. Répondez en français:

Etes-vous à l'école?

_____

Est-ce que Paul est malade?

_____

Est-ce que votre mère est en ville?

_____

Sommes-nous Américains?

_____

Est-ce que je suis au cinéma?

(Answer:) Oui, vous _____

Les timbres sont jolis, n'est-ce pas?

_____

3. Ecrivez les phrases suivantes au négatif:

Je suis Français. _____

Elle est jolie. _____

Nous sommes au cinéma. _____

Vous êtes en ville. _____

Sixième exercice

1. Mettez le verbe qui convient:

J' _____ une bicyclette. (have)

Il _____ un petit frère. (has)

Elle _____ une petite soeur. (has)

Nous _____ la rougeole. (have)

Vous _____ des pommes. (have)

Ils _____ des timbres. (have)

2. Répondez en français:

Avez-vous un chien?

_____

Est-ce que j'ai deux mains?

(Answer:) Oui, vous _____

Avons-nous des crayons?

(Answer): Oui, nous _____

Est-ce que Jacques a une bicyclette?

_____

Est-ce qu'ils ont des bonbons?

_____

3. Ecrivez les phrases suivantes au négatif:

(Exemple: J'ai des frères. Je n'ai pas de frères.)

J'ai des sucettes. _____

Il a un avion. _____

Nous avons des bonbons. _____

Vous avez un oiseau. _____

Supplementary material

Première leçon

Je vais bien (I'm well).
Pas mal (All right, okay).
Bonsoir (Good evening).
Comment ça va?—Ça va, merci (This is a less formal way of saying "Comment allez-vous?" and "Bien, merci.")

Deuxième leçon

Paul est au lit (in bed).
Jacques va bien (is well).
Elizabeth a un rhume (a cold).

Troisième leçon

Levez-vous! —Je me lève (I'm getting up). Je suis debout (I'm standing up).
Marie, asseyez-vous! —Je m'assieds (I sit down). Je suis assise (I am seated, I am sitting down).
Jacques, asseyez-vous. —Je m'assieds. Je suis assis.

Quatrième leçon

Voilà le plafond (ceiling), les murs (walls), le plancher (floor), le piano, le pupitre (the pupil's desk), le bureau (the teacher's desk).

Cinquième leçon

Voilà une lettre (letter), une image (picture), du papier (paper), une carte (map) de France.
Jacques est un beau (good-looking) garçon.
Sa mère est une belle femme (woman, lady).

Sixième leçon

Mon grand-père, ma grand-mère, mon oncle, ma tante.
Mon père travaille (works) en ville.
Dans la rue (on the street, in the street).

Septième leçon

—Mettez votre crayon dans votre poche (pocket).

—Je mets mon crayon dans ma poche. Dans mon pupitre. Sur la table. Sur le plancher. Sur la chaise. Sous la chaise. Sous la table.

Dans un sac (a sack, a bag). Dans une boîte (box).

Huitième leçon

The French system of weights and measures is called the metric system (le système métrique). It has been adopted in most countries except England and the United States. Scientists use it even in this country.

Un kilomètre is 1000 *mètres*. It is 5/8 of a mile.

Un mètre is 100 *centimètres*. It is about 40 inches. (Thus *un centimètre* is about 4/10 of an inch. One inch is about 2 1/2 *centimètres*.)

Un kilogramme is 1000 *grammes*. It is about two pounds.

Un litre of water weighs *un kilogramme* (or un kilo). A *litre* is slightly more than an American quart.

Neuvième leçon

Des arbres ([m.] trees), des framboises ([f.] raspberries), des fraises ([f.] strawberries).

A la campagne (in the country), à la mer (at the seashore), à la montagne (in the mountains).

Dixième leçon

Combien font deux fois deux (two times two)? Deux fois deux font quatre.

Multipliez deux par quatre. Deux fois quatre font huit.

Divisez vingt par cinq. Vingt divisé par cinq font quatre.

Onzième leçon

Montrez sur une carte: la Belgique, la Hollande, l'Allemagne, la Suisse, l'Italie, l'Espagne, l'Angleterre.

Trouvez (find) les grands fleuves de France: la Seine, la Loire, la Garonne, le Rhône.

Trouvez les grandes villes de France: Paris, Marseille, Bordeaux, Lille, Lyon, Nice, Le Havre.

Le nord (North), l'est (East), le sud (South), l'ouest (West).

Au nord, à l'est, au sud, à l'ouest.

L'Océan Atlantique (the Atlantic Ocean), La Manche (the English Channel), La Mer Méditerranée (the Mediterranean Sea).

Douzième leçon

—Où est la rue Lafayette?

—A droite (to the right). A gauche (to the left). Tout droit (straight ahead).

Un Anglais, une Anglaise (people); l'anglais (the language).

Un Italien, une Italienne (people); l'italien (the language).

Un Espagnol, une Espagnole; l'espagnol.

Un Allemand, une Allemande; l'allemand.

Treizième leçon

Je bois du lait (I drink milk). De l'eau (water), du jus d'orange (orange juice), du thé (tea), du café (coffee), du vin (wine).

Je mange du pain (bread), du beurre (butter), des œufs (eggs), de la confiture (jam); du rosbif (roast beef), des pommes de terre (potatoes), des pommes frites (French fried potatoes), des tomates, de la salade; de la glace (ice cream), des gâteaux (cakes), des choux à la crème (cream puffs), des éclairs (eclairs).

Quatorzième leçon

Le genou (knee), la jambe (leg), les lèvres ([f.] lips), les dents ([f.] teeth), le menton (chin), la bouche (mouth), la barbe (beard).

Pronunciation exercise—Exercice de prononciation

The French t, d, l, and n are pronounced with the tongue against the front teeth (instead of behind them, as in English). The French letters are sounded more lightly.

Put your tongue right against the front teeth and say: le lait, du lait; le thé, du thé; une tomate, des tomates; une dent, des dents; une tête, des têtes. Suzanne est malade. Suzanne est absente.

Quinzième leçon

Je porte (wear) une robe (dress). Une blouse (blouse), un chandail (sweater), une jacquette; des pantalons (m.) (pants), une jupe (skirt); des chaussettes ([f.] socks); un bonnet (cap), un chapeau (hat).

Voilà mon mouchoir (handkerchief).

Blanc-blanche (white), vert-verte (green), gris-grise (gray), bleu clair (light blue), bleu foncé (dark blue), laid-laide (ugly), stupide (dumb).

Seizième leçon

Je voudrais (I want, would like to have) des timbres italiens, des timbres hollandais. (*Don't link.*)

J'ai une collection de pierres (stones), d'insectes (insects), de feuilles (leaves).

Dix-septième leçon

Dans notre ville, nous avons un avocat (a lawyer), un docteur (doctor), un professeur, un employé (white-collar worker), un boulanger (baker), un pâtissier (pastry-cook), un épicier (grocer), un boucher (butcher), un garagiste (garage mechanic), un ingénieur (engineer), un artiste (artist).

Mon père est avocat.

Dix-huitième leçon

J'ai mal aux dents (toothache), mal au ventre (stomach ache), mal au pied (sore foot); la varicelle (chicken pox), les oreillons ([m.] mumps), de la fièvre (a temperature).

Je tousse (I cough). J'éternue (I sneeze).

Dix-neuvième leçon

Les nombres 40–100.

Quarante (40), quarante et un (41), quarante-deux (42), etc.

Cinquante (50), cinquante et un (51), cinquante-deux (52), etc.

Soixante (60), soixante et un (61), soixante-deux (62), etc.

Soixante-dix (70), soixante et onze (71), soixante-douze (72), soixante-treize (73), soixante-quatorze (74), soixante-quinze (75), soixante-seize (76), soixante-dix-sept (77), soixante-dix-huit (78), soixante-dix-neuf (79).

Quatre-vingts (80), quatre-vingt-un (81), quatre-vingt-deux (82), quatre-vingt-trois (83), etc.

Quatre-vingt-dix (90), quatre-vingt-onze (91), quatre-vingt-douze (92), quatre-vingt-treize (93), quatre-vingt-quatorze (94), quatre-vingt-quinze (95), quatre-vingt-seize (96), quatre-vingt-dix-sept (97), quatre-vingt-dix-huit (98), quatre-vingt-dix-neuf (99).

Cent (100), cent un (101), cent deux (102), etc. Mille (1000).

Voulez-vous une poire (pear)? Une pêche (peach), une prune (plum), un pruneau (prune).

Rosemarie

Rosemarie Dupont est une jolie jeune fille. Elle a 20 ans. Elle aime beaucoup danser.

Un jour, un jeune homme charmant dit au père de Rosemarie:

—Monsieur, j'aime votre fille, mais sa bouche est trop grande.

—Monsieur, répond le père, je vais demander au docteur de nous aider. Le docteur dit:

—C'est très simple. Dites à Rosemarie de répéter 40 fois chaque jour: "Pomme, prune, puce; pomme, prune, puce." Sa bouche va devenir (become) toute petite.

—Ah! merci docteur, dit Monsieur Dupont.

Il retourne vite à la maison.

—Rosemarie, dit-il, répète "Pomme, prune, . . ." Ah! j'ai oublié. "Pomme, prune, . . ." Oh! répète "Pomme, prune, poire." C'est le nom de trois fruits. C'est très joli.

Tous les jours, Rosemarie répète "Pomme, prune, poire, poire." Mais sa bouche reste aussi grande.

Le jeune homme charmant regarde Rosemarie et dit:

—Hélas! J'aime Rosemarie, mais sa bouche est trop grande!

Rosemarie pleure (weeps) et répète: "Pomme, prune, poire, poire!"

Alors (then) Monsieur Dupont retourne chez le docteur et il est très en colère (angry):

—Monsieur le Docteur, la bouche de ma fille est encore plus grande!

—Comment? Encore plus grande? Est-ce qu'elle répète tous les jours: "Pomme, prune, puce"?

—Ah! non. Elle dit: "Pomme, prune, poire." C'est plus logique (logical), n'est-ce pas, trois fruits?

—Hélas! Monsieur Dupont. Elle dit "Poire, poire?" Mais c'est terrible! Naturellement sa bouche est encore plus grande. "Poire" c'est le mot pour les bouches trop petites.

Vingtième leçon

Je mets la table (set the table). Voilà une nappe (a table cloth). Une serviette (a napkin), une assiette (plate), une tasse (cup), un verre (glass);

un sucrier (sugar bowl), un pot à crème (creamer), une cafetière (coffee pot), une théière (tea pot); une fourchette (fork), un couteau (knife), une cuillère (spoon).

Vingt et unième leçon

Je joue du tambour (drum).

J'apprends (I'm learning) le chant (singing), le français, le dessin (drawing).

Je fais (I make, go in for) de la musique, du français.

Je dîne (dine, have dinner) au restaurant.

Vingt-deuxième leçon

J'ai un poisson rouge (gold-fish), une perruche (parakeet), un cheval (horse). Voilà une vache (cow), un mouton (sheep), un singe (monkey).

Quelques animaux sauvages (wild): un éléphant, un lion, un tigre, un loup (wolf), un renard (fox), un crocodile, une baleine (whale).

Je vais à la chasse (hunting). Je vais à la pêche (fishing).

Vingt-troisième leçon

Il fait du soleil (it's sunny). Le soleil (the sun), la lune (moon), les étoiles ([f.] stars).

Le Climat en France

Sur la Côte d'Azur (la Riviera) il fait beau toute l'année.

Dans les Alpes et dans les Pyrénées il neige très souvent. Il fait frais (cool) même en été.

A Paris le climat est tempéré. Les Parisiens aiment s'asseoir (to sit) à la terrasse des cafés même en hiver quand il fait du soleil. En février, on trouve déjà (already) quelques violettes. En avril, entre les averses (between showers), les arbres (trees) et les fleurs (flowers) fleurissent.

Il y a moins (fewer) d'autos qu'en Amérique, et le dimanche on voit (you see) des familles entières se promenant (out walking) et faisant des pique-niques (having picnics).

Vingt-quatrième leçon

Je joue au football, au baseball, au tennis. (Note that you say "Je joue au . . ." with sports, but "Je joue du [or de la] . . ." with musical instruments.)

Je fais des sports d'hiver. Je fais des sports d'été.

En été je m'amuse (I have a good time) toute la journée (all day long).

Les Sports en France

On joue très peu au baseball et au basket (basketball) en France. Le football se joue (is played) avec un ballon rond et ne ressemble pas du tout (isn't at all like) au football américain.

Les sports ne font pas partie (are not a part) de la vie scolaire: il n'y a pas d'équipes (teams) de football dans les écoles. Cependant, beaucoup de jeunes Français font des sports le jeudi et le dimanche. (Le jeudi est le jour de congé [the day off] dans les écoles.) Selon la saison, on joue au football, au tennis, on fait du ski, de la nage, de la gymnastique—et toute l'année on fait de la bicyclette. Les jeunes gens (young people) partent (set out) souvent le matin et font des promenades (trips) de 50 à 60 kilomètres dans la journée pour le plaisir!

Il est né le divin* Enfant

Il est né le di- vin* en- fant! Jou-ez, haut-bois ré- so- nnez mu-

se- ttes. Il est né le di- vin en-fant! Chan-tons tous son a-vè- ne- ment.

De- puis plus de qua-tre mille ans Nous le pro-me-ttaient les pro-phè-tes; De-puis

plus de qua-tre mille ans, Nous at- ten-dions cet heu- reux temps. Il est

* In this song, the word "divin" has the old French pronunciation; you say "di-vi nen-fant."

Leçon sur Noël

Noël en France

En France, Noël est surtout une fête pour les enfants. Le soir du 24 décembre, les enfants mettent leurs souliers dans la cheminée (by the fireplace). Le Père Noël ou le Petit Jésus apporte des jouets (toys), des fruits, et des bonbons. Tout le monde dit: "Joyeux Noël!" Les enfants dansent et chantent autour de l'arbre de Noël.

Quelques familles vont à la messe de minuit la veille (eve) de Noël et font le réveillon (midnight feast) après. Au réveillon, on boit du champagne, on chante de vieux chants de Noël, on mange beaucoup de bonnes choses: du jambon, de la dinde (turkey) farcie aux marrons (stuffed with chestnuts), des bonbons. Il y a un gros gâteau en forme de bûche (in the form of a log). C'est la "bûche de Noël."

Le réveillon est une fête très gaie.

Bonnes vacances! Joyeux noël! Bonne année! Bonne et heureuse année!

Entre le boeuf et l'âne gris

2   En-tre les ro-ses et les lys,
    Dort, dort, dort le pe-tit fils.
    Mille an-ges di-vins, mi-lle sé-ra-phins
    Vo-lent à l'en-tour de ce grand Dieu d'a-mour.
    Roi des an-ges, dors!

L'Enfant gâté

—Enfant gâté, veux-tu du pâté?
—Non, ma mère, il est trop salé.
—Veux-tu du rôti?
—Non, ma mère, il est trop cuit.
—Veux-tu de la salade?
—Non, ma mère, elle est trop fade.
—Veux-tu du pain?
—Non, ma mère, il ne vaut rien.
—Enfant gâté, tu ne veux rien manger.
Enfant gâté, tu seras fouetté!

The Spoiled Child

"Spoiled child, do you want some meat pie?"
"No, mummy, it is too salty."
"Do you want some of the roast?"
"No, mummy, it is over-cooked."
"Do you want some salad?"
"No, mummy, it is too tasteless (flat)."
"Do you want some bread?"
"No, mummy, it's no good."
"Spoiled child, you won't eat anything.
Spoiled child, you shall be spanked!"

Les Mois

Trente jours ont septembre,
Avril, juin et novembre;
De vingt-huit il en est un;
Les sept autres ont trente et un.

The Months

Thirty days hath September,
April, June, and November;
Of twenty-eight there is (just) one;
The seven others have thirty-one.

La Semaine du paresseux

Lundi, mardi, fête;
Mercredi, peut-être.
Jeudi, la Saint Nicolas.
Vendredi, on ne travaille pas.
Samedi, petite journée.
Dimanche, on va se promener!

The Week of Lazybones

Monday, Tuesday, (there will be a) party!
Wednesday, perhaps. (Maybe I'll work.)
Thursday (is) Saint Nicholas' day.*
Friday, we don't (ever) work.
Saturday, a half day's work.
Sunday, we go for an outing.

* As Saint Nicholas is the patron saint of children, his *day* (December 6) is observed in many families in France as a children's feast.

48

La Chanson du chat

Chat, chat, chat,
Chat noir, chat blanc, chat gris,
Charmant chat couché,
Chat, chat, chat,
N'entends-tu pas les souris
Danser à trois des entrechats
Sur le plancher?
Tous les chats du vieux Paris
Dorment sur leur chaise,
Chats blancs, chats noirs ou chats
   gris.

The Song of the Cat

Cat, cat, cat
Black cat, white cat, gray cat,
Charming cat asleep,
Cat, cat, cat,
Don't you hear the mice
Running wild (dancing a ballet)
On the floor?
All the cats in old Paris
Are asleep on their chairs,
White cats, black cats or gray cats.

La Cigale et la fourmi
—par Jean de La Fontaine

La Cigale, ayant chanté
   Tout l'été,
Se trouva fort dépourvue
Quand la bise fut venue:
Pas un seul petit morceau
De mouche ou de vermisseau.
Elle alla crier famine
Chez la Fourmi sa voisine,
La priant de lui prêter
Quelque grain pour subsister
Jusqu'à la saison nouvelle.
"Je vous paierai, lui dit-elle,
Avant l'août, foi d'animal,
Intérêt et principal."
   La Fourmi n'est pas prêteuse:
C'est là son moindre défaut.
"Que faisiez-vous au temps chaud?
Dit-elle à cette emprunteuse.

The Cicada* and the Ant

The cicada, having sung all summer, found herself without any food (very much unprovided for) when the North wind had come: not a single little piece of fly or worm. She went to the house of the ant, her neighbor, to beg for food, entreating the ant to lend her a little bit so she could live until the new season. "I will pay you back," she told her, "before harvest time, on my faith as an animal, both interest and principal."

The ant is no lender: *that* is the least of her faults. "What were you doing during the warm season?" said she to that borrower. "Oh! night and day, I sang to every

* Do not confuse a cicada with a grasshopper, as many people do. Cicadas have always been loved in Europe for their plaintive music; whereas grasshoppers are pests which destroy crops and give pleasure to no one.

—Nuit et jour à tout venant
Je chantais, ne vous déplaise.
—Vous chantiez? j'en suis fort aise:
Eh bien! dansez maintenant."

passer-by. I hope you don't mind."
"You sang? How nice (I am very pleased)! Well, *now,* you can dance."

Les Saucisses
de Mme Sans-Souci

The Sausages of
Mrs. Carefree

—Bonjour, Madame Sans-Souci.
Combien sont ces six saucissons-ci?
—Ces six saucissons-ci sont six sous.
—Si ces six saucissons-ci sont six sous,
Ces six saucissons-ci sont trop chers.

"Good morning, Mrs. Carefree. How much are these six sausages?"
"These six sausages are six sous."*
"If these six sausages are six sous, these six sausages are too expensive."

Le Coucou

Dans la fo- rêt loin-tai-ne En-tends-tu le cou-cou? Du

haut de son grand chê-ne Il ré-pond au hi-bou:

Cou-cou, cou-cou, Cou-cou, cou-cou, cou-cou.

Cou-cou, cou-cou, Cou-cou, cou-cou, cou-cou.

* A *sou* was an old coin which was worth about one cent.

En passant par la Lorraine

En pa- ssant par la Lo- rrai-ne (A-vec mes sa-bots) En passant par la Lo- rrai-ne (A-vec mes sa-bots) Ren- con-
trai trois ca-pi- tai- nes A- vec mes sa- bots, don
dai- ne, oh! oh! oh! A- vec mes sa- bots 2. Ren-con-

2 Ren-con-trai trois ca-pi-tai-nes (A-vec mes sa-bots)
   Ren-con-trai trois ca-pi-tai-nes (A-vec mes sa-bots).
   Ils m'ont a-ppe-lée "Vi-lai-ne,"
   A-vec mes sa-bots, don-dai-ne, Oh! Oh! Oh!
   A-vec mes sa-bots.

3 Ils m'ont a-ppe-lée "Vi-lai-ne" (etc.)
   Je ne suis pas si vi-lai-ne, (etc.).

4 Je ne suis pas si vi-lai-ne (etc.).
   Puis-que le fils du roi m'ai-me, (etc.).

Il était une bergère

gai

Il___é - tait une ber - gè - re, Et ron, ron, ron, pe - tit

pa - ta - pon. Il___é - tait une ber - gè - re Qui gar - dait ses mou-

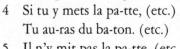

tons, ron, ron. Qui gar - dait ses mou - tons.

2 E-lle fit un fro-ma-ge,
  Et ron, ron, ron, pe-tit pa-ta-pon.
  E-lle fit un fro-ma-ge,
  Du lait de ses mou-tons,
  Ron, Ron,
  Du lait de ses mou-tons.

3 Le chat qui la re-garde (etc.)
  D'un pe-tit air fri-pon. (etc.)

4 Si tu y mets la pa-tte, (etc.)
  Tu au-ras du ba-ton. (etc.)

5 Il n'y mit pas la pa-tte, (etc.)
  Il y mit le men-ton. (etc.)

6 La ber-gère en co-lè-re, (etc.)
  Fouet-ta son p'tit cha-ton. (etc.)

Au clair de la lune

—par Martine Darmon Meyer

Scene I: The kitchen

MASTER OF CEREMONIES: We will now play for you an imaginary episode from the life of Lulli, a cook who became the musician of King Louis XIV.

FIRST COOK: Le Roi Louis Quatorze est ici.

SECOND COOK: Il va dîner chez la Grande Mademoiselle.

THIRD COOK: Faisons la cuisine! (*Stirs contents of a pot*) Est-ce que la soupe est bonne?

LULLI: Oui, la soupe est excellente. Où est le rôti?

FOURTH COOK: Le rôti est au four. Où est ton violon?

LULLI: Voilà mon violon.

(*Sings four lines of* Au clair de la lune.)

SECOND COOK: J'aime chanter. Chantons.

LULLI: Au clair de la lune . . .

COOKS: Au clair de la lune . . .

LULLI: Mon ami Pierrot . . .

COOKS: Mon ami Pierrot . . .

LULLI: Prête-moi ta plume . . .

COOKS: Prête-moi ta plume . . .

LULLI: Pour écrire un mot.

COOKS: Pour écrire un mot.

LULLI: Chantons et dansons.　　　　　　(*They dance and sing.*)

> Au clair de la lune,
> Mon ami Pierrot.
> Prête-moi ta plume
> Pour écrire un mot.
> Ma chandelle est morte,
> Je n'ai plus de feu,
> Ouvre-moi ta porte
> Pour l'amour de Dieu.

SERVANT: Voilà Mademoiselle qui arrive.

MADEMOISELLE (*She enters, rather angry*): Où est mon rôti? Le roi attend!

FIRST COOK: Le rôti est ici. (*Looks into the oven*) Oh! ! ! Il est brûlé! Que va dire le roi?

Curtain

Scene II: The dining-room of the king

KING: Mon rôti est brûlé. C'est votre faute.

FIRST COOK: C'est la faute de Lulli.

KING: Pourquoi as-tu brûlé mon rôti?

LULLI: Nous chantions et nous dansions.

KING: Eh bien, chantez et dansez.

(*The* COOKS *sing and dance—any simple square-dance figure. The* KING *and* MADEMOISELLE *join in.*)

KING: C'est une jolie chanson, n'est-ce pas?

MADEMOISELLE: Oui, c'est une jolie chanson.

COURTIER: C'est charmant.

KING: Lulli, viens avec moi à la cour. Tu seras mon musicien.

LULLI: Merci beaucoup, votre majesté! Vive le Roi Louis Quatorze!

COOKS: Vive le Roi!

Curtain

Le Dîner de la famille Pinay

MASTER OF CEREMONIES: We will now play for you *The Pinay Family Dines Out.*

Scene: A table set for five. The family appears from side. Monsieur Pinay holds Madame Pinay by the arm. They both wear hats.

M. PINAY (*Bows, removes hat*): Je suis Monsieur Pinay.
MME. PINAY (*Bows*): Je suis Madame Pinay.
TOGETHER: Voilà nos trois filles.
MARIE (*Bobs*): Marie.
CATHERINE (*Bobs*): Catherine.
HÉLÈNE (*Bobs*): Hélène.
MME. PINAY: Je n'ai pas de garçons.
GIRLS (*Holding hands and bowing*): Mais trois jolies filles.
M. PINAY: Quelle est la date aujourd'hui?
MME. PINAY: C'est aujourd'hui le quinze août.
CATHERINE: C'est la fête de Marie.

HÉLÈNE: Mais non!

CATHERINE: Mais oui! Le quinze août, c'est la fête de Marie.

MARIE: Oh Papa, c'est ma fête, mangeons au restaurant.

M. PINAY: Quelle heure est-il?

CATHERINE: L'heure de manger.

MME. PINAY: Il est sept heures.

M. PINAY: Bien! Mangeons au restaurant.

HÉLÈNE: Voilà un restaurant.   (*They go in and sit down.*)

GARÇON (*White apron, and napkin on his arm*): Bonsoir Messieurs-Dames!

M. PINAY: Que voulez-vous manger?

CATHERINE: Du poulet.

HÉLÈNE: De la salade.

MARIE: Du fromage.

ALL THREE: Des gâteaux.

GARÇON: Un moment. (*Yells*) Jeanne! Jeanne!

JEANNE (*Cook's apron and bonnet; wipes her hands on apron*): Voilà, voilà, M'sieur François.

GARÇON: Jeanne, avez-vous du poulet?

(*A* CHILD *comes forward with a picture of a roast chicken, says* Du poulet, *then goes out at back.*)

JEANNE (*Shrugs shoulders*): Bien sûr!   (*She goes in.*)

GARÇON (*Writes*): Cinq poulets.

M. PINAY (*To his wife*): Un peu de soupe, n'est-ce pas, ma bonne?

MME. PINAY: Oui, un peu de soupe.

GARÇON: Un moment. (*Yells*) Jeanne! Jeanne!

JEANNE (*Same business*): Voilà, voilà, Monsieur François.

GARÇON: Avez-vous de la soupe?

JEANNE: Mais oui, j'ai de la soupe!

(*Second* CHILD *with picture, says* De la soupe.)

GARÇON (*Writes*): Cinq soupes.

MME. PINAY (*To the children*): Une salade verte?

ALL THREE: Oui Maman!

GARÇON: Un moment.

(*Same business, calls* JEANNE, *asks whether she has salad.* JEANNE *gets very impatient. Third* CHILD *goes by with picture of salad in a bowl and says* De la salade.)

GARÇON (*Writes*): Cinq salades.

M. PINAY: Ce garçon est stupide.

MME. PINAY: Chut! Chut!

MARIE: Pour le dessert, des éclairs au chocolat.

GARÇON: Un moment.

(*Same routine. Fourth* CHILD: Des éclairs au chocolat.)

MME. PINAY: Avez-vous des fruits?

GARÇON: Un moment.   (*Begins to yell.*)

M. PINAY: Non, non, non!

GARÇON (*Sadly*): Ah! (*Very politely*) Madame, j'ai des pommes, des bananes, des oranges, et des cerises.

(*The girls all start to laugh. Fifth* CHILD *passes with picture and says* Des fruits.)

MME. PINAY: Une pomme, s'il vous plaît.

GARÇON: Voulez-vous du vin?

MARIE: Oh, du champagne, Papa!

GARÇON: Un moment.

(M. PINAY *tries to stop him, but he shouts for* JEANNE, *who comes. Same business. Sixth* CHILD: Du champagne.)

JEANNE (*Yells*): Mais oui, j'ai du champagne, M. François. J'ai de la soupe, du poulet, de la salade, des fruits, du fromage, de la glace, des gâteaux.

M. PINAY (*Weary*): Oh, apportez-nous de la soupe, s'il vous plaît.

GARÇON et JEANNE: Tout de suite, Monsieur.   (*They go out.*)

Curtain

La Belle au bois dormant

Scene I

MASTER OF CEREMONIES: We are going to play *The Sleeping Beauty* for you.

CHILD: En français, *La Belle au bois dormant.*

KING (*Comes in wearing a high crown*): Je suis le roi. (*Bows and sits down on throne.*)

QUEEN (*Comes in wearing smaller crown. Bows and sits next to king*): Je suis la reine.

PRINCESS (*Comes in and bows. Wears gold paper crown*): Je suis la princesse.

PRINCESS' SISTER (*Bows. Wears silver paper crown*): Je suis la petite sœur.

KING (*Hands princess a gift*): Bonjour, Princesse, bonne fête.

QUEEN (*Same business*): Bonjour, Princesse, bonne fête.

PRINCESS: Bonjour, mon père; bonjour, ma mère. Merci beaucoup. J'ai quinze ans aujourd'hui!

SISTER (*Claps her hands, gives small present*): Bonne fête. Vous avez quinze ans. Vous êtes jolie.

KING: Riche!

QUEEN: Bonne!

COOK (*Comes in wearing big chef's hat*): Princesse, que voulez-vous comme dessert?

PRINCESS (*Gestures with her hands*): Un gâteau à la crème.

SISTER: Et de la glace au chocolat!

COOK: Tout de suite, mesdemoiselles.   (*Exit.*)

M. C. (*Tragic voice, from the side*): Here comes the wicked fairy.

WICKED FAIRY (*Wears a tall hat of black paper*): Bonjour, Princesse.

PRINCESS (*Shyly*): Bonjour, madame.

KING (*Scared*): Que voulez-vous, madame?

WICKED FAIRY (*Laughs*): Voilà un cadeau pour la princesse. (*Hands her a spindle: stick with wound yarn.*) Bonne fête, mon enfant.

QUEEN: Princesse, princesse, montrez-moi ce cadeau. J'ai peur!

PRINCESS: Mais non, ma mère. Regardez, c'est un joli cadeau, n'est-ce pas?

WICKED FAIRY (*Laughs*): Très, très joli.

PRINCESS: Merci beaucoup, madame. (*She pricks herself.*) Ah, ah, ah! (*She falls.*)

KING: Gardes, gardes, vite!

(*Six or eight guards come in, lift the princess and put her on a bed. A folded blanket at the side.*)

WICKED FAIRY: Ah, ah, ah, regardez ma jolie princesse!

QUEEN (*Weeps*): Ma fille, ma petite fille!

KING (*Weeps*): Ma fille, ma princesse!

SISTER (*Weeps*): Ma sœur, ma sœur!

M. C. (*From the side. Sigh of relief*): Here comes the good fairy.

GOOD FAIRY (*Star on forehead, white dress. Bows to audience*): Je suis la bonne fée.

QUEEN: Ah, Madame, regardez ma pauvre fille.

KING: Ma fille est malade.

GOOD FAIRY: Princesse, vous allez dormir cent ans.

WICKED FAIRY: Ah, ah, ah, cent ans!

ALL: Au revoir, Princesse, au revoir; dormez bien. (*They all go out except the guards, who sing softly* La Belle au bois dormant.)

Curtain

Scene II: Same scene. Princess asleep. Guards asleep on their feet around the throne.

M. C. (*Comes in*): Here come Prince Charming and his friend.

PRINCE (*Wears a sword and small crown*): Je suis le Prince Charmant (*gestures*) et voilà le château.

FRIEND (*Sword, no crown*): Où est la princesse?

PRINCE: Oh regardez, voilà la princesse.

FRIEND: Elle est très jolie.

PRINCE: Oui, elle est très jolie. Elle dort.

FRIEND: Embrassez-la, mon prince.

PRINCE (*Kisses her*): Princesse!

PRINCESS (*Waking*): Ah! Où est ma mère? Est-ce que mon père est ici?

PRINCE: Je suis le Prince Charmant. Je vous aime.

60

GOOD FAIRY (*Comes in softly*): Princesse, levez-vous. Voilà votre prince.

PRINCESS (*Curtsey*): Merci beaucoup, madame. (*Shyly*) Bonjour, Prince.

PRINCE (*On his knees. Kisses her hand*): Princesse!

(*Leads her to the throne.*)

COOK (*Appears with a tray with some cakes and candies*): Voilà des gâteaux et des bonbons. Princesse, voulez-vous des bonbons?

PRINCESS: Avec plaisir. (*Shyly*) Prince, voulez-vous des bonbons?

(*The prince takes a piece.*)

GUARDS: Vive le Prince! Vive la Princesse!

Curtain

La Belle au bois dormant

Chan-tons la belle au bois dor-mant, Dor-mant au bois si lon-gue-ment. Chan-

tons la belle au bois dor-mant, Pa- reille aux fleurs du mois char-mant.

La blonde en-fant re - po- se Dans un châ- teau très vieux; Sa

joue est blanche et ro- se, Mais nul n'a vu ses yeux.

Un Episode de la vie de Jeanne d'Arc

MASTER OF CEREMONIES: This is a scene taken from the life of
Joan of Arc. When she was going to Chinon to speak to the
French King (Charles VII), he hid among his noblemen to
try her out. The scene shows a room in the palace at Chinon:
noblemen, ladies of the court; they are singing *Ah mes amis,
que reste-t-il.*

Ah mes amis, que reste-t-il*

DUNOIS (*Wearing armor, comes in*): La France est dans une situation tragique. L'armée a besoin d'aide. Quelles nouvelles?

SEIGNEUR (JACQUES): C'est aujourd'hui que vient la petite folle de Domrémy.

DAME (SUZANNE): Ah! oui, Jeanne d'Arc. Elle entend des voix.
(*They laugh.*)

LE ROI (*Enters. Everyone bows respectfully*): Vous êtes bien gai ce matin! (*Sits on throne.*)

SEIGNEUR (FRANÇOIS): Nous parlons de cette fille, cette Jeanne qui veut sauver votre royaume!

DAME (MARIE): Une bergère! Une enfant de seize ans!

LE ROI: A-t-elle vraiment entendu des voix?

SEIGNEUR (PAUL): Ah! Sire! Est-ce que Dieu parle aux paysans maintenant?

JACQUES: Comment éprouver sa sincérité?

* Pronounced *ti* to rhyme with *gentil.*

FRANÇOIS: Je sais! Changeons de place, Sire. Prêtez-moi votre chapeau et votre manteau.   (*They quickly change.*)

LE ROI: Très bien. Parfait.

SEIGNEURS ET DAMES (*To François on throne*): Vive le roi!
(*They laugh.*)

UN HÉRAULT (*Comes in and announces*): Jeanne d'Arc!

SUZANNE: Habillée en homme!

DAME (CATHERINE): Elle n'est pas même jolie!

DUNOIS: Comme elle est jeune!

JEANNE (*In armor, comes in, pays no attention to the pretended king, walks directly to Charles VII and kneels*): Sire!

JACQUES: Elle a reconnu le roi!

CATHERINE: C'est un signe!

PAUL: Elle vient de Dieu!

FRANÇOIS: Sainte vierge, pardonnez-moi!

LE ROI: Levez-vous, mon enfant. Que voulez-vous?

JEANNE: Des hommes, des armes pour chasser les Anglais.

LE ROI: Mais vous êtes une enfant, une fille! Que pouvez-vous faire?

JEANNE: Sire, Dieu est avec moi. Avec son aide, je bouterai les Anglais hors de France.

LE ROI: Belles paroles—mais . . .

DUNOIS (*Comes forward, bows to king*): Avec votre permission, Sire, je suivrai Jeanne.

JACQUES: J'irai avec Jeanne!

FRANÇOIS: Et moi.

PAUL: Moi aussi.

JEANNE (*Smiling, to king*): Vous voyez, Sire?

LE ROI: Donnez-lui des armes et des hommes!

JEANNE (*With a gesture of prayer*): Merci, St. Michel et Ste. Marguerite!

Curtain

Guillaume le Conquérant

Scene I

MASTER OF CEREMONIES: We are going to play two episodes of the conquest of England by William the Conqueror.

(*Curtains open revealing Guillaume and some knights on a boat.*)

GUILLAUME: Voilà la côte d'Angleterre.

YVES: Il fait beau. C'est un bon signe.

ODON (*Dressed as bishop*): Mon frère, je ne vois pas de soldats.

ROBERT: Non, le secret a été bien gardé.

YVES: Nous les prendrons par surprise.

GUILLAUME: Débarquons! Débarquez les chevaux. (*To Robert*) Dites aux soldats de prendre des armes. Chantez, Sieur Taillefer.

TAILLEFER: Tout de suite, Sire. Je chanterai les victoires de Charlemagne.

ROBERT (*Handing Guillaume a helmet*): Votre casque, Sire.

ODON (*To Yves*): Faites préparer un bon repas.

(*They step out of the boat.*)

GUILLAUME: Ah! Je vois venir deux de mes éclaireurs.

1ER ÉCLAIREUR (*Bows*): Votre Grâce, le roi Harold sait votre arrivée.

2ÈME ÉCLAIREUR: Il réunit une grande armée à Hastings.

GUILLAUME: Bon, très bon! A nous la victoire! Combien avons-nous de soldats?

ODON: Nous avons quatorze mille cavaliers.

ROBERT: Et quarante-cinq mille soldats d'infanterie.

GUILLAUME: Ce sont tous des hommes braves! A nous la victoire—Allons!

TOUT LE MONDE: Vive Guillaume le Conquérant!

(*Taillefer beats drum or blows bugle and leads the march. All march, singing first two lines of* La Marseillaise.)

La Marseillaise

Al- lons en-fants de la pa-tri- e, Le jour de gloire est ar-ri-vé ······

Scene II

M. C.: We are back in Guillaume's château, in October, 1066 . . .

(*Curtain opens.* QUEEN MATHILDE *is sitting, embroidering with her women. Women sing* A la claire fontaine. *Queen does not sing.*

MATHILDE (*Embroidering. A woman comes in*): Quelles nouvelles?

LA FEMME (MARIE): Rien de neuf, Madame. La bataille continue.

MATHILDE: Hélas—déjà quatorze jours! (*She embroiders.*) Regardez. Aimez-vous ce dessin?   (*The women all look.*)

SUZANNE: Madame, vous êtes une grande artiste.

THÉRÈSE: Je vois notre seigneur duc avec son casque.

JUDITH: Voilà le bateau avec Odon, notre évêque.

MARIE: J'aime les chevaux . . .

SUZANNE: Madame, laissez-moi broder cet oiseau.

UNE FEMME (*Entering*): Des messagers d'Angleterre, Madame.

1ER MESSAGER (*Kneels in front of Mathilde*): Madame, le roi Harold est mort!

2ÈME MESSAGER: L'Angleterre est à nous.

MATHILDE: Et mon seigneur?

1ER MESSAGER: Le roi Guillaume triomphe en Angleterre!

2ÈME MESSAGER: L'armée anglaise est en fuite!

SUZANNE: Le Duc Robert, mon mari?

1ER MESSAGER: Le duc Robert, Madame, est à Londres avec sa Majesté.

SUZANNE: Dieu soit béni!

LES DEUX MESSAGERS (*Shouting*): Nous sommes vainqueurs!

TOUS: Vive le roi Guillaume et la reine Mathilde!

Curtain

A la claire fontaine

A la clai-re fon-tai-ne M'en a-llant pro-me-ner

J'ai trou-vé l'eau si be-lle Que je m'y suis bai-gné.

Il y a long-temps que je t'ai-me, Ja-mais je ne t'ou-blie-rai.

2 Sous les feu-illes d'un chê-ne,
Je me suis fait sé-cher.
Sur la plus hau-te bran-che,
Le ro-ssi-gnol chan-tait.
    Il y a long-temps . . .

Remuons un peu

This comprehension exercise is included on the second face of the LP record of *Petites conversations*.

Levez-vous. Asseyez-vous.

Levez-vous. Montrez-moi la fenêtre. Allez à la fenêtre. Regardez par la fenêtre.

Allez à la porte. Ouvrez la porte. Sortez. Frappez. Entrez. Fermez la porte. Allez à votre place.

Venez ici. Voilà un crayon. Mettez le crayon sur la table. Mettez le crayon sous la table. Mettez le crayon sur une chaise. Asseyez-vous sur la chaise. Asseyez-vous par terre. Repos.

Levez les bras. Remuez les mains. Tournez-vous. Tournez la main droite. Baissez les bras. Levez le pied gauche. Baissez le pied. Repos.

Mettez vos mains au côté. Sautez. Sautez sur un pied. Fermez les yeux. Tirez la langue. Repos.

Prenez un livre. Mettez ce livre sur votre tête. Marchez la tête haute. Repos.

Vocabulaire

a has; **il a cinq francs** he has five francs

à to, at; **à la porte** to the door; **à la maison** at home; **à l'école** at school

absent, absente absent

achète: il achète he buys; **acheter** to buy; **achetons** let's buy

adore: elle adore la musique she adores (is crazy about) music

l'âge (*masculine*) the age; **quel âge avez vous?** how old are you?

ai: j'ai I have, I've got; **je n'ai pas dix francs** I haven't (got) ten francs; **j'ai onze ans** I am eleven

aider to help

aime: j'aime I like, I love; **je n'aime pas** I don't like; **ils aiment** they like

aimez-vous? do you like? **vous aimez** you like

l'Allemagne (*feminine*) Germany

un Allemand, une Allemande a German; **l'allemand** German (the language)

allez go; **allons** let's go; **allons déjeuner** let's go to breakfast, let's go and eat breakfast

alors then

les Alpes (*feminine*) the Alps; **dans les Alpes** in the Alps

un Américain, une Américaine an American; **américain, américaine** (*adjective*); **une auto américaine** an American car; **je suis Américain** I am an American (*masculine*)

un ami, une amie a friend

amuse: je m'amuse I have a good time

un an a year; **j'ai dix ans** I am ten

un Anglais, une Anglaise an Englishman, an Englishwoman; **l'anglais** English (the language)

l'Angleterre (*feminine*) England

un animal an animal; **un animal domestique** a domestic animal; **des animaux sauvages** wild animals

une année a year; **toute' l'année** the whole year; **Bonne année** Happy New Year

août August

appelle: je m'appelle my name is; **comment s'appelle cette fille?** what's that girl's name?

apprend: j'apprends le français I am learning French; **il apprend la musique** he is learning music

après after

une après-midi an afternoon

un arbre a tree

arrive: il arrive he arrives; **ils arrivent à l'école** they get to school

un artiste an artist

s'asseoir to sit down

asseyez-vous sit down

assieds: je m'assieds I sit down

une assiette a plate

assis, assise seated, sitting down; **je suis assis** I am seated (sitting down)

attrape: mon chat n'attrape pas les oiseaux my cat does not catch birds; **ils attrapent** they catch

au to the, at the; **je vais au cinéma** I am going to the movies

aujourd'hui today; **c'est aujourd'hui le 10 novembre,** today is November 10

au revoir good-bye

aussi also, too; **aussi grand** as large

une auto a car

un autobus a bus

autour de around

autre other; **mettez une main sur l'autre** put one hand on top of the other

avec with; **avec geste** with a gesture

une averse a shower

avez: avez-vous? have you? do you have? have you got?; vous avez you have

un avion an airplane

un avocat a lawyer

avoir to have; avoir dix ans to be ten years old

avons: nous avons we have

avril April

B

les bagages (*masculine*) the baggage

baissez lower; baissez les mains lower your hands

une baleine a whale

une balle a ball

un ballon a football or a basketball; un ballon rond a large round ball

une banane a banana

le basket basketball

une batte a bat

beau, belle beautiful, handsome

beaucoup much, very much; merci beaucoup many thanks; beaucoup de timbres, lots of stamps.

la Belgique Belgium

belle *see* beau

le beurre butter

une bicyclette a bicycle; je vais à bicyclette I go bicycling

bien well; très bien fine, very well; bien rouge very red

un billet a ticket

blanc, blanche white

bleu, bleue blue

blond, blonde blond

une blouse a (girl's) blouse

bois: je bois I drink

le bois the woods; au bois to the woods

une boîte a box; dans une boîte in a box

bon, bonne good

un bonbon a piece of candy; des bonbons au chocolat chocolate candy

bonjour hello, good morning, good afternoon, hi!

un bonnet a cap

bonsoir good evening

la bouche the mouth

un boucher a butcher

une bougie a candle

un boulanger a baker

une boule de gomme a gum drop

une boussole a compass

le bras the arm; levez le bras raise your arm

une brosse a brush; une brosse à dents a toothbrush

brossez: brossez-vous les dents brush (clean) your teeth; brossez-vous les cheveux brush your hair

brun, brune brunette, brown

une bûche a log; une bûche de Noël a Christmas cake shaped like a Yule log

le bureau the teacher's desk

C

ça that; comment ça va? How's everything? ça va okay (This is more informal than "Comment allez-vous?")

un cadeau present, gift

le café coffee

une cafetière a coffee pot

calculons let's do some arithmetic

la campagne the country; à la campagne in the country

camper to camp; je vais camper I go camping

une canne: une canne à pêche a fishing rod

un carreau windowpane

une carte a card; une carte postale a picture postcard; une carte de France a map of France

cassé broken

ce, c' it; c'est une jolie carte it's a pretty card

ce, cet, cette this or that; ces these or those

cent a hundred; **cent un** a hundred and one; **cent deux** a hundred and two

un centimètre a centimeter (about 0.4 of an inch)

cependant however

un cercle a circle

une cerise a cherry

une chaise a chair

le champagne champagne

la chance luck; **quelle chance** what luck

un chandail a sweater

le chant singing; **un chant** a song

chante: **elle chante** she sings

un chapeau a hat

chaque each; **chaque jour** each day

charmant, charmante charming

la chasse hunting; **je vais à la chasse** I go hunting

le château the castle

des chaussettes (*feminine*) socks

la cheminée the fireplace

une chemise a shirt

cher, chère dear

un cheval a horse; **une deux chevaux Citroën** a 2 H.P. Citroën

les cheveux (*masculine*) the hair

chez at the shop of; **chez Mme Dupuis** at Mrs. Dupuis' store; **chez moi** at my house

un chien a dog

le chocolat chocolate; **des bonbons au chocolat** chocolate candy

une chose a thing; **de bonnes choses** good things

un chou a cabbage; **un chou à la crème** a cream puff

le cinéma the movies; **je vais au cinéma** I go to the movies

cinq five

cinquante fifty; **cinquante et un** fifty-one; **cinquante-deux** fifty-two

clair, claire light; **bleu clair** light blue

la clarinette the clarinet

la classe the class, the classroom

le climat the climate

la colère anger; **en colère** angry

une collection a collection

commence: **ils commencent à jouer** they begin to play

comment? how? what? **comment allez-vous?** how are you? **comment vous appelez-vous?** what's your name?

comptez count

la confiture jam

congé: **le jour de congé** the day off (like Saturday)

content, contente happy

la côte the coast; **la Côte d'Azur** the Riviera (the southeast coast of France on the Mediterranean)

le côté the side; **mettez les mains au côté** put your hands by your side

le cou the neck

couché lying down

couchez-vous go to bed

une couleur a color

court; **il court** he runs; **les chiens courent après les lapins** dogs run after rabbits

un couteau a knife, a pocketknife

coûtent: **combien coûtent ces bonbons?** how much does this candy (do these candies) cost?

la craie the chalk; **un morceau de craie** a piece of chalk

un crayon a pencil

la crème the cream; **un chou à la crème** a cream puff; **un pot à crème** a cream pitcher

crie: **je crie** I shout

un crocodile a crocodile

cueillir to pick

une cuillère a spoon

D

dans in, into; **dans la rue** on the street

danse: **elle danse** she dances

de, d' of, from; some; **le père de Jacques** Jim's father (the father of

Jim); **de l'eau** some water; **pas de sucettes** no suckers

debout standing, standing up; **je suis debout** I am standing up

décembre December

décoré decorated

déjà already

déjeunez: à quelle heure déjeunez-vous? what time do you eat breakfast? **je déjeune à sept heures** I eat breakfast at seven o'clock

demie: sept heures et demie 7:30

une dent a tooth; **j'ai mal aux dents** I have a toothache

dépêchez: dépêchez-vous! hurry! hurry up!

des some, any

le dessin drawing

déteste: je déteste les bananes I hate bananas

deux two

deuxième second

devenir to become

dimanche Sunday

une dinde a turkey

dîne: je dîne au restaurant I dine (have dinner) at the restaurant

le dîner the dinner

dis: je dis I say; **il dit** he says; **dites** say; **dites-moi** tell me

divisé divided; **divisez** divide

dix ten; **dix francs** ten francs

dix-sept seventeen; **dix-huit** eighteen; **dix-neuf** nineteen; **dix-neuf cent cinquante** 1950

le docteur the doctor

un doigt a finger

donnez give; **donnez-moi** give me

dormez sleep; **dormez-vous?** are you asleep? are you sleeping?

douze twelve

droit, droite right; **tout droit** straight ahead; **à droite** to the right; **la main droite** the right hand

drôle: c'est drôle it's funny

E

l'eau (*feminine*) water

un éclair an éclair; **un éclair au chocolat** a chocolate eclair

écoute: elle écoute la radio she listens to the radio

écrit: Pierre écrit Peter writes; **un exercice écrit** a written exercise

écrivez write; **écrivez au pluriel** write in the plural; **écrivez au singulier** write in the singular; **écrivez au négatif** write in the negative

effacez erase

une église a church; **je vais à l'église** I go to church

un éléphant an elephant

elle she, it; **elles** they (*feminine*)

embrasse: je t'embrasse love and kisses (*literally:* I kiss you)

un employé a white-collar worker

en in; **en ville** in town, down town

encore again; **encore plus grande** even larger

un enfant a child

enfin finally

énormément enormously

entre between

entrez come in

envoie sends, bats (a ball)

une épaule a shoulder

un épicier a grocer

une équipe a team; **une équipe de football** a football team

l'Espagne Spain

un Espagnol, une Espagnole a Spaniard; **l'espagnol** Spanish (the language)

est is; **est-ce que?** (a way to ask a question); **Est-ce que Marie est ici?** Is Mary here?

l'est the East

et and (the "t" is never pronounced)

éternue: j'éternue I sneeze

êtes: êtes-vous are you? vous êtes you are

une étoile a star

un étranger a foreigner; je suis étranger I am a foreigner

un exercice an exercise

F

la faim hunger; j'ai faim I'm hungry

faire to make, to do; faire du ski to ski; sans faire de faute without making a mistake

fais: je fais I make; je fais de la musique I go in for music; Jean fait du ski John goes in for skiing

faisant making; faisant des pique-niques having picnics

fait: quel temps fait-il? How's the weather? il fait beau the weather is fine; il fait froid (chaud) it's cold (hot)

faites: que faites-vous? what are you doing? que faites-vous le lundi? what do you do on Monday?

une famille a family; des familles entières entire families

farci, farcie stuffed; une dinde farcie aux marrons a turkey stuffed with chestnuts

une faute a mistake

une femme a woman, a lady

la fenêtre the window

fermez close, shut

la fête the birthday

une feuille a leaf

février February

la fièvre fever; j'ai de la fièvre I have a temperature

la figure the face; lavez-vous la figure wash your face

une fille a girl

fini, finie finished; l'école est finie school is out; j'ai fini I've finished

une fleur a flower

fleurissent (they) are in bloom

un fleuve a river

une fois once, one time; deux fois quatre font huit 2 × 4 makes 8

foncé, foncée dark; bleu foncé dark blue

font make; combien font 9 et 13? how much is 9 and 13? les sports ne font pas partie de la vie scolaire sports are not a part of school life

le football: je joue au football I play football

forme: en forme de in the shape of

formez form; formez un cercle stand in a circle

une fourchette a fork

frais, fraîche cool; il fait frais it's cool

une fraise a strawberry

une framboise a raspberry

un franc one franc (a very small amount of money, about one third of a cent)

le français French (the language); je parle français I speak French; un Français, une Française a Frenchman, a Frenchwoman; je ne suis pas Français I'm not French

frappez knock

un frère a brother

frit, frite fried; des pommes frites or des pommes de terre frites French fried potatoes

un fruit a (single piece of) fruit; des fruits fruit, some fruit

un fusil a gun

G

gai, gaie gay

un garagiste a man who runs a garage

un garçon a boy, a waiter

un gâteau a cake

gauche left; à gauche to the left; la main gauche the left hand

le général the general

le genou the knee

les gens (*masculine*) people; les jeunes gens young people

la glace ice, ice cream

le goûter midafternoon refreshments (for children)

grand, grande tall, large

une grand-mère a grandmother

un grand-père a grandfather

le grec Greek; je ne parle pas grec I don't speak Greek

gris, grise gray

gros, grosse big, large

la gymnastique exercises

H

habillez: habillez-vous dress, get dressed

haut, haute high; la tête haute with head erect

hélas! alas!

une heure an hour; l'heure du dîner dinner time; quelle heure est-il? what time is it? il est huit heures it is eight o'clock; à quelle heure allez-vous à l'école what time do you go to school?

heureux, heureuse happy; Heureuse année! Happy New Year!

l'hiver (*masculine*) the winter; en hiver in winter

la Hollande Holland

un homme a man; un jeune homme a young man

l'hôpital (*masculine*) the hospital

huit eight

I

ici here

il he, it; ils they (*masculine*); il y a there is, there are; y a-t-il? is there? are there?

une image a picture

impatient, impatiente impatient

un ingénieur an engineer

un insecte an insect

intelligent, intelligente intelligent

irons: nous irons we shall go

l'Italie (*feminine*) Italy; un Italien, une Italienne an Italian; l'italien Italian (the language)

J

une jacquette a jacket

la jambe the leg

le jambon ham

janvier January

jaune yellow

je, j' I

Jésus: le Petit Jésus the baby Jesus

jeudi Thursday

jeune young

joli, jolie pretty

joue: je joue avec mon chien I play with my dog; je joue à (with games); je joue de (with musical instruments); jouons let's play

un jouet a toy

un jour a day, one day; quel jour est-ce aujourd'hui? what's today?

la journée the (entire) day; toute la journée all day long

joyeux, joyeuse happy; joyeux Noël Merry Christmas

juillet July

juin June

une jupe a skirt

le jus juice; du jus d'orange orange juice

K

un kilogramme a kilogram (about 2 pounds)

un kilomètre a kilometer (about 5/8 of a mile)

L

le lait milk

la langue the tongue

le lapin the rabbit

lavez: lavez-vous les mains wash your

hands; **lavez-vous la figure** wash your face

le, la, l' the; **les** the (*plural*); (also) it, them: **il les regarde** he looks at them

une leçon a lesson; **une leçon de musique** a music lesson

une lecture a reading

une lettre a letter; **du papier à lettres** writing paper

lève: je me lève à sept heures I get up at seven o'clock

levez raise; **levez les mains** raise your hands; **levez-vous** get up; **à quelle heure vous levez-vous?** what time do you get up?

les lèvres (*feminine*) the lips

un lion a lion

le lit the bed; **au lit** in bed

un litre a liter (approximately one quart)

un livre a book

logique logical

un loup a wolf

lundi Monday

la lune the moon

M

M. (abbreviation for) **Monsieur**

madame madam, Mrs.

mademoiselle Miss

mai May

un maillot: un maillot de bain swimming trunks

la main the hand; **la main droite** the right hand; **la main gauche** the left hand

maintenant now

mais but; **mais non** Oh! no

la maison the house, the home; **à la maison** at home

la maîtresse the teacher

mal: j'ai mal à la tête I have a headache; **mal à la gorge** a sore throat; **pas mal** okay (not bad)

malade sick

malheureusement unfortunately

maman mummy, mom, mama

mange: il mange un bonbon he eats a piece of candy; **je mange** I eat; **mangez** eat

la marchande (*feminine*) **le marchand** (*masculine*) the shopkeeper

marche: marchons let's march; **nous marchons** we march, we walk

mardi Tuesday

la marionnette the puppet

marquons let's mark; **marquons le pas** let's keep step

un marron a chestnut; **aux marrons** with chestnuts (in cooking)

mars March

un match a game; **un match de football** a football game

le matin the morning

me, m' me, myself; **je m'appelle** my name is (I call myself)

un médicament a medicine

un melon a melon

même even; **même en été** even in summer

le menton the chin

la mer the sea; **à la mer** to the seashore

merci thanks, thank you; **merci beaucoup** thank you very much

mercredi Wednesday

la mère the mother

la messe: la messe de minuit Midnight Mass on Christmas Eve

un mètre a meter (about 39 1/3 inches)

mets: je mets I put; **je mets la table** I set the table

mettent: les enfants mettent leurs souliers dans la cheminée the children put their shoes by the fireplace

mettez put

mieux better; **aimez-vous mieux les chiens ou les chats?** do you like dogs or cats better?

mille one thousand

un millionnaire a millionaire

minuit midnight

Mme (abbreviation for) **Madame**

moi me; **avec moi** with me

moins less; **à huit heures moins le quart** at a quarter to eight (7:45); **moins ... que: moins d'autos qu'en Amérique** fewer cars than in America

mon, ma my; **mes** my (*plural*)

monde: tout le monde everyone, everybody

monsieur sir, Mr.

la montagne: à la montagne in the mountains

monte: il monte dans la grosse auto he gets into the big car

montrez show; **montrez-moi** show me

un morceau a piece; **un morceau de craie** a piece of chalk

un mouchoir a handkerchief

une moustache a mustache

un mouton a sheep

multipliez multiply

le mur the wall

un musicien a musician; **musicien, musicienne** musically talented

N

la nage swimming; **on fait de la nage** they go in for swimming

une nappe a tablecloth

naturellement naturally, of course

ne, n' ... pas not; **n'est-ce pas?** isn't it? **je ne suis pas Français** I am not French

né, née born; **il est né** he was born

le négatif the negative; **au négatif** in the negative

neige: il neige it is snowing, it snows

neuf nine

neuf, neuve new

un nez a nose

Noël Christmas; **à Noël** at Christmas; **Joyeux Noël** Merry Christmas

noir, noire black

un nombre a number; **les nombres** the numbers

non no

le nord the North; **au nord** to the North, in the North

nous we

novembre November

la nuit the night; **bonne nuit** good night (greeting at bedtime)

O

octobre October

un oeuf an egg; **les oeufs** eggs

un oiseau a bird, **les oiseaux** birds

on you, they, anyone; **on voit** you see

un oncle an uncle

ont have (*plural*); **Pierre et Jean ont dix francs** Pete and John have ten francs

onze eleven

une orange an orange

une oreille an ear

les oreillons (*masculine*) mumps

où? where?

oublié: j'ai oublié I have forgotten; I forgot

l'ouest the West; **à l'ouest** to the West, in the West

oui yes

ouvre: j'ouvre I open; **ouvrez** open

P

le pain the bread

un panier a basket; **dans mon panier neuf** in my new basket

les pantalons (*masculine*) pants

papa daddy, dad

le papier paper; **le papier à lettres** writing paper

un paquet a package

par by; **par ici** this way; **regardez par la fenêtre** look out of the window; **par terre** on the ground, on the floor

pardon! pardon me!

parle: je parle français I speak French; **Jacques ne parle pas grec** Jim doesn't speak Greek; **parlez-vous?** do you speak?

part: Michel part en camp de vacances Michael is leaving for summer camp; les jeunes gens partent the young people set out (leave)

une partie a part; la première partie the first part

pas: ne . . . pas not; pas du tout not at all

le pas the step

passe: le temps passe time passes; il passe la revue he reviews the troops

patiner to skate

un pâtissier a pastry-cook

pauvre poor

une pêche a peach

la pêche fishing; je vais à la pêche I go fishing; une canne à pêche a fishing rod

le père the father; le Père Noël Father Christmas (Santa Claus)

une perruche a parakeet

petit, petite, small, little

un peu a little, a little bit; très peu very little

une photo a photograph, a snapshot

la phrase the sentence; la phrase suivante the following sentence

le piano the piano; il joue du piano he plays the piano

pièce: huit francs pièce 8 francs each

une pierre a stone

un pique-nique a picnic

un pistolet a pistol

une place: allez à votre place go to your seat

le plafond the ceiling

une plaisanterie a joke

le plaisir pleasure; pour le plaisir for fun

plaît: s'il vous plaît please, if you please

le plancher the floor

la plastique: un pistolet en plastique a plastic pistol

pleure: elle pleure she weeps

pleut: il pleut it's raining, it rains

plonger to dive

le pluriel the plural; au pluriel in the plural

une poche a pocket

une poire a pear

un poisson a fish; un poisson rouge a gold fish

poliment politely

une pomme an apple

une pomme de terre a potato; des pommes de terre frites or des pommes frites French fried potatoes

porte: je porte un bonnet I am wearing a cap; il porte une moustache he has a mustache

la porte the door

un pot: un pot à crème a cream pitcher

pour for; pour vous for you

pourquoi? why?

premier, première first; la première partie the first part

prends: je prends I take, I pick up; je prends mon livre I pick up my book; prenez take, pick up

prépare: il prépare ses bagages he gets his baggage ready

présent, présente present, here

un professeur a professor

une promenade an outing, a trip, a walk

promener: se promener to take a walk, to go for an outing

propre clean

une prune a plum

un pruneau a prune

une puce a flea

puis then, afterwards

le pupitre the pupil's desk

un pyjama a pair of pajamas

Q

quarante forty; quarante et un forty-one; quarante-deux forty-two

un quart a quarter; à huit heures et quart at 8:15, at a quarter past eight;

il est sept heures moins le quart it is a quarter to seven, it is 6:45

quatorze fourteen

quatre four

quatre-vingt-dix ninety; quatre-vingt-onze ninety-one; quatre-vingt-douze ninety-two

quatre-vingts eighty; quatre-vingt-un eighty-one; quatre-vingt-deux eighty-two

que? qu'est-ce que? what? Qu'est-ce qu'il y a? What's the matter?

quel? quelle? what? Quelle est la date aujourd'hui? What's the date today?

quelque chose something

quelques a few

qui who, which

quinze fifteen

R

regardez look, look at; regardez par la fenêtre look out of the window

remuons let's move about

un renard a fox

répète; il répète he repeats; répétez repeat

répond: il répond he answers; répondez answer

repos! at ease

ressemble looks like, resembles, is like; le football français ne ressemble pas du tout au football américain French football isn't at all like American football

restez stay; restez au lit stay in bed

retourne: il retourne he returns; retournez return

le réveillon the midnight feast (on Christmas Eve)

revoir: au revoir good-bye

un rhume a cold; j'ai un rhume I have a cold

la Riviera the Riviera (the southeast coast of France on the Mediterranean)

une robe a dress

rond, ronde round

le rosbif roastbeef

rose pink

rouge red; toutes rouges very red, fully ripe

la rougeole the measles

la rue the street; dans la rue on the street, in the street

S

un sac a bag; dans un sac in a bag

saigne bleeds

la salade the salad

la salle: la salle de bain the bathroom; la salle à manger the dining room

saluez salute; nous saluons we salute

samedi Saturday

sans without

sauvage wild; des animaux sauvages wild animals

savez: savez-vous? do you know? do you know how? savez-vous nager? do you know how to swim?

scolaire of school; la vie scolaire school life

se, s' himself, herself; comment s'appelle cette fille? what's that girl's name? (what does she call herself?)

seize sixteen

selon according to, depending upon; selon la saison depending upon the season

la semaine the week

sept seven

septembre September

une serviette a napkin

si, s' if; s'il vous plaît please, if you please

simple simple

un singe a monkey

le singulier the singular; au singulier in the singular

six six

le ski skiing; **je vais faire du ski** I am going skiing

une soeur a sister

soixante sixty; **soixante et un** sixty-one; **soixante-deux** sixty-two

soixante-dix seventy; **soixante et onze** seventy-one; **soixante-douze** seventy-two

un soldat a soldier

le soleil the sun; **il fait du soleil** the sun is shining, it is sunny

sommes: **nous sommes** we are; **nous sommes de petits soldats** we are little soldiers

son, sa his, her, its (*singular*); **ses** his her, its (*plural*)

sonne: **il sonne** he rings

sont: **ils sont présents** they are present

sortez go out

un soulier a shoe

sous under

souvent often

le sport sport; **les sports d'hiver** winter sports

une sucette a sucker

un sucrier a sugar bowl

le sud the South; **au sud** in the South

suis: **je suis** I am; **je suis à l'école** I'm at school

la Suisse Switzerland

suppléez supply; **suppléez l'article** supply the (missing) article

sur on

sûr sure; **bien sûr** sure, certainly

le système the system; **le système métrique** the metric system (of weights and measures)

T

une table a table; **à table!** come to the table!

le tableau, **le tableau noir** the board, the blackboard; **allez au tableau (noir)** go to the board

le tambour the drum; **je joue du tambour** I play the drum

une tante an aunt

une tasse a cup

téléphone: **elle téléphone au docteur** she telephones the doctor

tempéré temperate

le temps the weather; **quel temps fait-il?** how's the weather?

le tennis tennis

la terrasse: **la terrasse des cafés** sidewalk cafés

la terre the earth; **une pomme de terre** a potato; **par terre** on the ground, on the floor

terrible terrible

la tête the head; **tournez la tête** turn your head

le thé tea

une théière a tea pot

un tigre a tiger

un timbre a stamp; **un timbre de 30 francs** a thirty-franc stamp

tirez: **tirez la langue** stick out your tongue

toi you

une tomate a tomato

ton, ta your; **ta collection** your collection; **ton ami** your friend

tournez turn

tous all

tousse: **je tousse** I cough

tout, toute all; **toute la famille** the whole family

une tranche a slice

travaille: **je travaille** I work

treize thirteen

trente thirty; **trente et un** thirty-one; **trente-deux** thirty-two

très very; **très bien** very fine, very well

trois three

trouve: **elle trouve** she finds; **trouvez** find

U

un, une one, a

use: ça use les souliers that wears out your shoes

V

va goes; **il va en ville** he goes down town; **il va très bien** he is very well

les vacances (*feminine*) the vacation; **Bonnes vacances!** Have a good vacation!

une vache a cow

vais: je vais I go; **je vais à l'école** I go to school; **je vais bien** I'm well; **je vais aller à Versailles** I am going to Versailles; **je vais faire du ski** I am going to go skiing

une valise a suitcase

la vanille vanilla; **une glace à la vanille** vanilla ice-cream

la varicelle chicken pox

la veille: la veille de Noël Christmas Eve

vendredi Friday

venez come

le ventre the stomach; **mal au ventre** stomach-ache

un verre a glass

vert, verte green

la vie life; **la vie scolaire** school life

vieux, vieille old; **de vieux chants de Noël** old Christmas songs

le village the village

la ville the city; **en ville** down town, in the city

le vin wine

vingt twenty; **vingt et un** twenty-one; **vingt-deux** twenty-two

une violette a violet

le violon the violin

visite: il visite he is visiting

la visite the visit, the call; **la visite du docteur** the doctor's call

vite quickly

voilà here is or there is, here are or there are

voir to see

un voisin a neighbor; **votre voisin** the person next to you, your neighbor

voit: on voit you see, one sees

vont: ils vont they go; **ils vont se promener** they go for a walk

vos your (*plural*); **vos yeux** your eyes

votre your (*singular*); **votre bouche** your mouth

voudrais: je voudrais I would like

voulez: voulez-vous? do you want?

voulons: nous voulons we want

vous you

vraiment really, truly

Y

Y a-t-il? Is there? Are there?

les yeux the eyes; **fermez les yeux** close your eyes

Index

Poems and jingles

La Chanson du chat, 49
La Cigale et la fourmi, 49
L'Enfant gâté, 48
Les Mois, 48
Les Petits Soldats, 8
Les Saucisses de Mme Sans-Souci, 50
La Semaine du paresseux, 48
Un, deux, trois, 11

Songs

Ah mes amis, que reste-t-il, 63
A la claire fontaine, 67
Au clair de la lune, 15
La Belle au bois dormant, 61
Belle Rosine, 21
Le Coucou, 50
En passant par la Lorraine, 51
Entre le bœuf et l'âne gris, 47
Frère Jacques, 4
Il est né le divin Enfant, 46
Il était une bergère, 52
Un Kilomètre à pied, 10
Malbrough s'en va-t-en guerre, 27
La Marseillaise, 66
Les Petites Marionnettes, 5
Savez-vous planter les choux?, 17
Sur le pont d'Avignon, 7
Vive l'eau, 25

Stories and readings

L'Après-midi de Michel, 24
Le Climat en France, 45
Elizabeth est très musicienne, 26
La Fête de Michel, 29
Le Frère de Suzanne est à Paris, 18
Lettre de Pierre, 20
Michel n'est pas malade, 22
Michel parle français, 16
Michel va camper, 30
Noël en France, 47
Rosemarie, 44
Les Sports en France, 46